奇闻说今古•谈笑有鸿儒

高晓松◎作品

XIAOSONG PEDIA

江苏凤凰文艺出版社
JIANGSU PHOENIX LITERATURE AND ART PUBLISHING, LTD

悉尼中心商务区

悉尼杰克逊港鸟瞰

墨尔本滨海港区

晓松奇谈 XIAOSONGPEDIA | 19 世纪发给共济会 3° 会员的证书

晓松奇谈 XIAOSONGPEDIA

十字军进入君士坦丁堡

（德拉克洛瓦作，1840 年）

晓松奇谈 XIAOSONGPEDIA

杭州西湖边的马可·波罗塑像

约翰·肯尼迪

肯尼迪遇刺后继任美国总统的林登·约翰逊

1945 年，尚未成名的梦露（此照片后来用作鼓舞美军的明信片）

晓松奇谈 XIAOSONGPEDIA | 希腊船王奥纳西斯的豪华游艇——“克里斯蒂娜”号

晓松奇谈 XIAOSONGPEDIA | 维也纳美泉宫的最高点——凯旋门

晓松奇谈 XIAOSONGPEDIA | 德国皇帝威廉二世

晓松奇谈 XIAOSONGPEDIA | 俄国沙皇尼古拉二世

晓松奇谈 XIAOSONGPEDIA | 克里姆特作品《Hope II》

晓松奇谈 XIAOSONGPEDIA | 英王乔治五世像

第2卷 目录

CHAPTER 01

第一章

朝花夕拾

我的家史 上

外公外婆这一代知识分子对这个国家的感情，今天的人是很难理解的。他们不仅在战乱年代学的专业都是为这国家的未来着想的，而且回国以后即使受到迫害，他们也都是无怨无悔的。》

讲了这么多期《晓松奇谈》，我有一个很有意思的发现。什么发现呢？我注意到，我讲了那么多家国大事、大人物，但最受大家欢迎的，其实还是小人物的历史，比如崔大师的故事，比如八千山东学生的故事，还有张大千怎么赶飞机的故事。由此给我一个重大启发：对一些普通人的生活史、口述史，大家可能更感兴趣。因为好多大历史，在书上就能看到，不用再听我讲了。

因此，从今天开始，我要讲一个很小的系列，讲一个小人物、一个普通人的家族史。谁呢？就是鄙人，“矮大紧”本人。

按说，一个刚40多岁的人，就讲口述历史，实在是有点早。但是呢，要知道，中国是个很不一样的国家，刚过去的这100年，经历了三朝之多，经历了那么多的悲欢离合；尤其是最近这 40 年，又经历了中国历史上罕见、甚至世界历史上都罕见的巨变。所以，既然一位中国的百岁老人都可以阐述三朝历史，那我这个 40 多岁的人，当然也可以讲一些不一样的往事，讲一些在今天的年轻人和小孩听来匪夷所思的、关于我们这个国家和民族的小小历史。这些故事既有我亲身经历的，也有家里人跟我讲的，我把这个小系列叫作“朝花夕拾”，就权当我本人的“口述历史”吧。

“偷运贵重金属出境罪”

从哪儿开始讲呢，就从我出生开始讲吧。我出生在 1969 年 11 月 14 号，这要让讲究风水的人听了，估计会觉得很可怕，11 月 14 号，“要要要死”！别怕，我后来搞了音乐嘛，“1114”就变成了“多多多发”。生在哪儿呢？生在北京。生在北京什么地方呢？当然是妇产医院。但奇怪的是，我在妇产医院只待过一天，我妈待产、坐月子，都不是在自己家，而是在我一个亲戚家里。什么亲戚呢？我的舅公。我舅公姓施，就是中国最有名的中医——施今墨。施大夫，北京四大名医之一，也是唯一给孙中山、蒋介石、毛主席都看过病的大名家。施家跟我家关系非常近，以后我再慢慢讲施家的故事。

先说说为什么我刚出生后是待在我舅公家，而不是自己家。大家想想，1969 年，那是个什么样的年代？不管是叫“十年浩劫”也好，还是叫“文革”也好，反正对知识分子来说，对很多很多人来说，那是一个最难过的年代。

在那个年代里，很多人甚至性命都不保。我们家还算好，保住了性命，但是其他东西都没保住。我出生那年，我们家被打倒了，存款被冻结了，工资也停发了，家里还搬进来五六家成分比较好的人。所以那时在北京，我们家那真是片瓦全无，一分钱没有，连粮票都没有。大家知道，那个时候如果没有粮票，你就算有一亿块钱也会饿死，因为就算你买一块桃酥、一个馒头，也得要粮票，而且还必须是北京市粮票，才能在北京买东西。

当时惨到什么程度？据我舅舅讲，我妈那时在单位门口放了一个盒子，大家来募捐粮票，有人可怜我们家，时不时给个半斤一斤的粮票，就这样，一大家子才得以生存下来。我舅舅说，那时家里的古董、字画什么的，该抢的也抢了，该拿的也拿了，藏起来的也不敢拿出去卖，因为这叫“四旧”。最后能卖的全卖掉了，比如家里的几个明朝传下来的太师椅，一块钱一个，全卖掉了，卖了几块钱。我的外公最后拿这全家仅剩的几块钱，让我舅舅去买菜，然后说，你一定要记住，以后咱们家再有钱的时候，一定要省着花。那个时候家里就是这样凄惨的状况，于是外公外婆只好把有孕在身的我妈托付给了我舅公。于是我就在我舅公施今墨家里出生了。

这还是我没出生时的情况。等我出生的时候，家里几乎已经没有什么人了，因为全家都下放了。我外公被下放到江西鲤鱼洲养猪，外婆一个人留在清华。我父母到大庆去参加松辽油田会战，在那里住“干打垒”，当工人。我父亲是清华土木系，我妈是清华建筑系，俩人加一块正好能盖房，于是就去建设大庆。那时候还不叫大庆，还叫松辽油田，大家知道我为什么叫高晓松了吧？就是因为在松辽油田会战的时候，“会战”出了一个我。我妹妹叫高晓江，就是因为后来他们又转到江汉油田会战去了，又“会战”出一我妹来。

跟大家讲一下，我们家为什么被打倒。说白了，在那个年代，就叫“欲加之罪，何患无辞”。不管你什么出身，想打倒你，都很正常。你参加过国民党，给国民党当过邮递员、税务员，不行，要打倒你，城管也不行，反正你就是帮助国民党欺负过中国人民。你是老革命，但你跟错了路线，走向了修正主义路线，也要打倒。你既没当过国民党，也没当过共产党，但是你出国留学了，也不行，这叫“里通外国”，你就是特务。

我们家这一拨人就都是出国留学的，于是就都被打成了特务。具体罪名

张维、陆士嘉教授 1973 年全家福（后排左子张克澄，后排右婿高立人，中排左女张克群，前排右高晓松，前排左高晓江）

也很有意思，当然有很多罪行，其中最重要的一条叫“里通外国，偷运贵重金属出境”。那时这可是一大罪。

我们家这样的一个罪怎么来的呢？话说我外公外婆曾经留学德国十多年。我妈就是在柏林生的，那是在 1942 年 12 月 31 号，阳历除夕，所以我们家后来还保存了一封珍贵的小电报。那时候留学生都没钱，穷，而电报又很贵，所以只发了五个字，叫“除夕得一女”。那会儿柏林正赶上英美大轰炸，大家都得逃难。

我外公外婆逃难没法带着我妈，就把我妈寄养到了一个德国上校的家里。这个德国上校是纳粹党员，他为什么同意收留我妈呢？因为那时候他可能是感觉到德国要战败了，如果德国战败了，那家里养着一个盟国的孩子，是不是以后罪行可以轻一点呢？要知道，不是每个德国纳粹都像电影里演的那样信仰坚定的，任何一个组织都不缺动摇的人。所以，他们家对我妈还挺好，把我妈养得白白胖胖。

我外公外婆的逃难生涯，直到德国被占领，美军进来了，才算结束。外公还给我讲过他们逃难时的情景，特别有意思。那时所有的德国人，不管是军人还是老百姓，都拼了命地往西边跑，因为西边是英美法的军队占领的，在那边好像还能保命；而东边是被苏军占领的，德国人心里很清楚自己的军队在苏联犯下的罪行，所以觉得被苏军俘虏了肯定会很惨。所以大家都拼了命往西跑，最后在西边的一个小城，终于迎来了美军的占领。

外公外婆那时候已经整整两年没吃过肉了，德国老百姓也一样，因为那个时候后方实行配给制，几乎所有的资源都供应军队去了，所以老百姓就只能吃点土豆，面包都很少。以至于外公在战争期间养成了一个坏毛病，就是吃完了饭要舔盘子。大家现在去德国看，德国人都还很严谨，不浪费粮食，通常在吃完饭以后，不管是汤盘子，还是菜盘子，都会拿一小块面包把盘子擦干净，然后把那面包吃了，盘子都不用洗了。

战争年代，没面包，拿什么擦呢？只能拿舌头舔。以至于我外公都 70 岁了，这毛病都没改。有一次，中央电视台来采访，吃完了饭，他居然当着人家的面，把一盘子给舔了。我说，你别这样，人正开着摄像机呢。他说，哦，我忘了。你看，这就是战争年代穷惯了养成的一个毛病。

外公跟我讲，那时大家都藏在地窖里，听着外边的炮声渐稀，有胆大的男人爬出去看。回来说，美军进来了，德军全撤了，于是我外公外婆就跟着全镇人出来了。美军一看，咦，这儿居然还有俩盟国的人啊。等美军打开了德军仓库，赈济饥民的时候，德国的普通百姓给两片面包就算了，却给了我外公一罐两公斤装的熟牛肉。我外公说当时就吃了半罐，太饿了，两年没吃过肉。

在这种颠沛流离的情况下，我妈居然还养得白白胖胖的。养我妈的这家人，到现在还跟我家有联系。当然中间断了很多年联系，因为后来东西德分裂，社会主义、资本主义两大阵营互不往来嘛。直到 1998 年，我妹妹结婚，她嫁给了一个一米九七的德国人。婚礼在德国北部一个叫阿赫特山的山顶举行。我妈就怀着试试看的心情，写了一封信，寄到她小时候被收养的那个地方，想看看那家德国人还在不在。信里说，当年我还是个小女孩，现在我的女儿都要结婚了，如果你们还在，希望你们来参加婚礼。还附带了一张地图，讲了怎么过来的路线。

婚礼那天，等我们到了那山顶，开来了一辆奔驰，下来一个老太太，老人已经90岁了。一看见我妈，俩人就抱头痛哭，管我妈叫“queen”。因为我妈叫张克群，所以管我妈叫“群”，发音不准便成了“queen”。于是他们就参加了我妹的婚礼。他们家那儿子后来也去了美国，在康奈尔大学当教授，前一阵我还收到了他的邮件，说有机会一定来拜访，因为他在家里看到过我外公外婆、我妈妈的照片。这么一来，我妈就等于在德国人家里长大的，所以我妈刚回国的时候，不会说中文，只会说德文。

说了半天，这“贵重金属”是怎么回事呢？德国战败以后，我外公外婆的很多同事，参加过纳粹党，就很害怕，毕竟纳粹犯了那么多罪行，怕盟国来了，被绞死，被枪毙。那个时候，人心惶惶，德国的货币体系也已经完全崩溃。德国西部所有的货币，都成了废纸。德国东部就根本无所谓货币了，苏联红军来了就随便抢。苏联红军都怀着报仇的愿望，据说强奸了100多万德国女人，抢了无数东西，正义不正义咱就不说了，纳粹在苏联土地上也没少犯这些罪行。西边来的英美军，好歹文明一点吧，就不抢东西了，人家买东西。可是你又没货币，拿什么买呢？香烟。美军每天的配给都有香烟，于是香烟就成了硬通货。一两包烟，恨不得就能睡一个美女！

在这种整个社会体系都崩溃的情况下，我外公外婆的一个好朋友，一个德国教授，就把家里的家当全部变卖掉，换了一小块白金。其实也没多大，然后就交给了我外公外婆，说你们是盟国的人，盟军来了，你们的财产应该不会被剥夺，我就把这块白金交给你们。如果以后我还能活下来，你们还能找到我，就再还给我；如果找不到我了，也找不到我家人了，就算送给你们了。我外公外婆在战争期间都获得了博士学位，已经在德国开始教书，大家

1945 年 4 月，苏军攻克柏林

同事一场，所以也就接受了这块白金。

外公外婆后来的日子虽然也很苦，但一直也没动这块白金，因为他们觉得这不是自己的，是人家的。他们带着这块白金，先是从德国到了瑞士。为什么到瑞士呢？因为外公外婆这些留学生啊，当时天天想的就是回国参加建设，而且觉得应该学一些本事再回国。当时中国最缺的都有什么呢？比如发电站。他们知道小丰满水电站用的是瑞士的涡轮机，于是他们就到了瑞士，到生产这个轮机的工厂去做工程师，想学会这套本事再回国报效。

可见那时候的人是非常爱国的，那个时候的留学生应该说比今天的留学生要爱国很多。我之前在《晓说》中有三期讲淞沪战役，就有过这么一个小细节。我外公外婆是 1937 年离开的中国，我外公考的是公费的“庚款”留英，第四届还是第五届来着；我外婆是自费留德，因为留德没有公费生。他们登船离开上海那天，正好是 1937 年 8 月 17 号，上海淞沪战役正式打响的日子。因为战争没有打进租界，所以船是从租界出发的。当时整个华界已经炮火连天，所有的留学生都站在船尾，哭着对这个炮火连天的苦难祖国说：我们一定要学好本事，回国建设这个国家。

当时船上的学生，除了我外公外婆，还有后来成了中国科学院院长的卢嘉锡、后来成了农大著名教授的裘维蕃等等。这批留学生对这个国家的感情尤为强烈，因此在留学期间，他们的专业不停地变。我外婆一开始学的是物理，后来听说日本空军如何如何厉害，日军怎么怎么轰炸中国，就立志学航空，所以在哥廷根大学就改学了航空，而且师从的是世界空气动力学的奠基人——大师普朗特。我外婆就成了普朗特唯一的女博士，也是普朗特唯一的中国籍博士。

普朗特还有一个中国籍的徒孙。这人是谁呢？就是钱学森。普朗特在 1902 年收了他第一个博士，叫冯·卡门。喜欢军事科技的人当然知道，冯·卡门是美国的火箭之父。冯·卡门后来带了一个博士，就是钱学森。40 年之后，普朗特的最后一个博士，叫陆士嘉，就是我外婆。这一点很有趣，本来我外婆跟钱学森是北师大附小的同学，结果大家从国外留学一圈回来以后，我外婆变成钱学森的师姑了。

我外婆后来回国参与创办了北京航空学院（今北京航空航天大学），创办了中国第一个空气动力学专业。我外公也是这样，一开始也是学物理的，后来也是为了报国，就学了壳体力学。壳体力学大家都知道，就是轮机、潜艇等等。1946 年前后，他们在瑞士那个轮机厂做工程师的时候，就开始不停地联络怎么回国。最后终于联络上了中国驻法大使馆，获得了帮助。回国的这一路特别艰辛，从法国先到法属越南，又从法属越南到香港，从香港才回到了内地。

我外公外婆回国后，先是在同济大学教书，后来去北洋大学（今天津大学）做教授，后来又到清华大学做教授。刚才不是说白金的事吗，这一路上他们就一直带着这块白金，直到一九五几年的时候，当时德国已经分裂了，东德跟我们是友好国家，所以东德就有教授来访问。他们就问来访问的人，你们认不认识那个什么什么教授，那是我们当年在德国的同事，我们还帮他保存着一块他的白金呢。他还活着吗？东德教授说，还活着呢，而且家里人都还在。我外公外婆说，这块白金是他的财产，我们带了这么多年，现在赶快完璧归赵吧，就托这位东德教授带回了德国。

其实那教授当时还在西德，那时德国刚刚分裂，两边的隔离还没那么严格，后来修建柏林墙，完全封锁，那都是 60 年代以后的事了。把一块贵重的白金，从国内辗转交给西德的某教授，这就是后来“偷运贵重金属出境”这么一个大罪的来历。

1966 年，“文革”爆发，各种各样的批判就上来了，“偷运贵重金属出境”这些就全都抖出来了。加上那个时候，外公外婆都是一级教授，外公还是院士，所以工资很高，他们两个人那时候都是 360 块钱工资。所以就风传有多少存款，“清华首富”什么的，反正各种各样的资产阶级的罪名就全上来了，一通痛批。这就是刚才说的靠“募捐粮票”生存的那段凄惨岁月。

到了 1968 年，我外公就下放到江西鲤鱼洲养猪去了，只留下我外婆一人在清华。虽然说是养猪，我外公还很乐观。我们家好像有一种乐观的传统吧，大家看我也是，不管什么境遇我都倍儿高兴，可能就是有祖传基因。那时候，我外公还专门托人在北京买关于养猪的书，寄到江西去。还说，一定要把养猪这个事研究好。知识分子就这毛病，什么都要研究一下，训练一下。

外公在那儿养了很多年的猪，其实对他的学术、研究等方面是有很大影响的。后来他年老以后，经常跟我说，一个科学家最珍贵的时光，就是 50 岁到 60 岁这段时期，因为到这时候，你所研究领域的各种东西，基本上已经看明白了，你已经很清楚自己要干什么。这时候你也已经有了资源，有了实验室，有了助手，还又有了思想，有了精力。所以说，五六十岁是科学家最好的时光。结果倒好，这段时光他跑江西养猪去了。

当然后来我外公外婆去世的时候，国家也给了很高的待遇。我第一次上中央电视台是在 17 岁，就是我外婆去世后的追悼会。当时的副总理习仲勋同志亲自到场，我还跟习仲勋同志握了手。因为当时我舅舅还没回国，我就变成了站在最前面的，赶上了和习仲勋握手。

外婆去世时还有一个小插曲。追悼会上来了外婆的很多学生，这其中有两位当了部长的，一位是当时的高教部部长何东昌，一位是当时的广电部部长艾知生，都亲自陪同到了八宝山。当时出现了一件让我特别难以忍受的事：一位负责火化的工人就不给我外婆火化，问他为什么，他说这么热的天，你得给我送两条圆球烟和两瓶二锅头，我才烧。陪同去的那么多人，学校的校领导，还有两位部长，大家一听都傻了，都说："小同志，你怎么回事？你怎么能这么对待我们国家这著名的科学家呢？这是我国的'居里夫人'你知道吗？""那我不管，大不了你们把我撤职，反正我就是不想干，烧死人的事我就是不想干。"我只好连夜骑车，从八宝山骑到前门，商店都已经关门了，我只好挨家敲门，总算买到两条圆球烟、两瓶二锅头，然后再骑回去。最后把烟酒送上去，这才给烧了。可见当时这个社会风气，已经成了什么样子，现在想起来都不寒而栗。

再说回到我外公外婆。外公外婆这一代知识分子对这个国家的感情，今天的人是很难理解的。他们不仅在战乱年代学的专业都是为这国家的未来着想的，而且回国以后即使受到迫害，他们也都是无怨无悔的。不是戴高帽，他们真的是在无怨无悔地爱着这个国家，而且他们都两袖清风。我外公去世的时候，所有的遗产加一起，只有 3000 块钱。80 年代初，外公受命创办深圳大学这所给全世界看的"窗口大学"的时候，他身为第一任校长，经手了无数的钱、土地，愣是没有把一分钱拿回家来过。那时候一个深圳特区户口，能卖 8 万块钱，我外公手里拿着无数的深圳特区户口，也没有徇过一次私。

现在深圳大学的主楼里还有我外公张维的雕像，后面刻有铭文，上面还有我写的 200 字。"夫妻同为科学栋梁，儿孙上进不辱家风"，云云。

1969年5月至10月，清华大学在江西南昌鲤鱼洲建立“试验农场”，先后有5批2821名教职工下放到此劳动

深圳大学主楼里张维院士的雕像

1968 年，清华园里的硝烟

再给大家讲讲十年浩劫，主要说清华，因为别的地儿咱也不了解。“文革”在清华是怎么开始的，我们家经历了什么，讲起来都很有意思。

一开始的时候，清华校园里也只是批斗批斗，贴贴大字报，互相骂一骂。我妈还贴大字报批评了一下我外公。那个年代没办法，我外公正好又是校领导，是清华的副校长。我妈那大字报上写的是：“要罗征启！不要张维！”这事特有意思，历史很巧合，或者说很荒诞，等过了很多年，改革开放以后创办深大的时候，正好就是“要罗征启不要张维”，罗征启做了深大第一任党委书记，而我外公却只做了深大第一任校长。这张大字报可把我外公鼻子气歪了，说：“你怎么能贴你爸的大字报？”我妈就说“我们革命小将如何如何”。后来倒是没有发生殴打我外公这种事，还没那么厉害。

后来清华学生分成两派。一派叫“老团派”，就是打倒老干部派，头头叫蒯大富。熟悉“文革”史的人都知道这人，后来审判“四人帮”的时候，他还上去做过证，当然他自己也被判了很多年刑。他作证的样子，我记得特清楚，那时他还是一副特别激昂的表情，一副红卫兵的口气，说：“有一天，突然来了辆汽车，接我去哪里呢，去中南海。到了中南海以后，我下车，看到一个人从小桥上走过来，面对着我。这个人是谁呢，就是他！”他直指着当时坐在被告席上的张春桥，“就是他！张春桥！”完全就这口气，我们全家看得哈哈大笑，说蒯大富一点没改，还是那样。

还有一派叫“四一四派”。当时各派都是根据毛主席在某年某月某日的讲话起名字的。我也不知道4月14日毛主席发表过什么讲话，总而言之就叫“四一四派”，这一派全是干部子弟，是保护老干部的，我妈就是“四一四派”的。这些都是我出生之前两三年的事，所以下面这些故事都是我妈讲给我听的。

一开始，这两派还是文斗，贴完大字报，就开始弄大喇叭，还有各种各样的演讲、辩论等等。后来就开始小武斗，怎么小武斗呢，比如把自行车的

1966年8月24日，清华老校门——“二校门”被红卫兵以“象征封资修”为由拉倒

内胎，绑在树杈子上。大家知道那红了吧叽的内胎弹性很大，所以就拿它做大弹弓，把板砖绷到对方的“阵地”去。那时候“老团派”有一个女播音员，长得还挺好看。正好一砖头，“啪”一下绷脸上了，导致半边脸到最后一直没表情。

后来绷弹弓不行了，开始真的武斗了。清华可是一所工科院校，1952 年院系调整，文科都调出去了，就彻底变成了工科院校，所以他们最擅长的就是制作盔甲、长矛，各种冷兵器。尤其以机械系最为厉害，他们自己有个实验小工厂。据我妈讲，他们做出那盔甲非常人性化，比如男生的盔甲，裆部还有一合页，摘开合页就可以小便。两边都穿着盔甲，拿着冷兵器，就开始武斗。

学生之间互相武斗，教授们的遭遇呢？教授们的遭遇也是从轻到重的。下面是我外公外婆给我讲的。一开始也没又打又骂，就是突击考试。一天晚上，刚吃完晚饭，红卫兵们突然把所有清华教授都集中起来。我外婆虽然那时候已经是北航教授了，但还跟我外公住在清华，于是也给抓起来了。所有教授一起考试，考什么呢？微积分。红卫兵说：“你们天天考我们，今天我们也考考你们，看看你们这些教授还懂不懂最基本的微积分。”于是拿着卷子考微积分。我外公外婆，以及当时清华的大概有七个院士，再加上其他的教授们，大部分人都考了 85 分以上。

大家想想，都五六十岁的教授了，微积分还能考成这样，说明清华教授的功底还是很好的。但是只有一位著名的教授，在考场里哭起来了，这位教授后来成了党和国家领导人，成了全国政协副主席，民主党派的领袖，就是钱伟长教授。钱伟长和我外公是清华最早的两个力学教授，两人共同分担着清华全校的力学课。钱教授那时可能确实是忘了最开始那点微积分，突然哭起来，说：“小将们，我确实想不起来，能不能让我回家做？”

对教授们的待遇，再接下来就升级了，就开始有打的，有骂的了。我们家邻居有当书记的，副书记的，回来满脸是血，问怎么了，说一直不让睡觉，实在困了只好揪胡子，因为一打瞌睡，小将就打你。为了不打瞌睡，就把自己胡子一根一根都揪光了。

还有件好玩的事。有一天我妈回家，看见我外婆在一个大椅子上面支一个凳子，自己站在那凳子上撅着。我妈问：“你这干吗呢，也不怕摔下来。”外婆说：“我看教授们都开始坐‘喷气式飞机’了，我这老胳膊老腿，我先练练，别一会儿给拖出去坐飞机这动作不标准。”自个儿在家练上了，什么都要认真练习一下，可见这知识分子多逗。

学生们的造反也就两三年的工夫，最后都一律下放了。我妈就跟着我爸去了大庆，那时候还没有今天的大庆，还是一片荒原，什么都是从头开始，环境艰苦极了。

我妈跟我讲，苦成什么样，别的都不说了，单说冷，当时冷到什么程度？每回上厕所，每人都得拿着一镐。为什么拿一镐呢，因为前面那个人一撒尿，出去就直接变成了冰，就撒成一个冰尖。蹲不下去，因为有尖。上厕所之前先拿镐，把前面人那尖给凿下去，才能上厕所。还说，出门眼珠子得一直转，说要是不转的话，一会儿眼珠子就冻上了，就只能往一边看了。不知道是不是有所夸张，因为毕竟有那么多人生活在那里。

受“文革”影响的还有我舅舅。我舅舅比我妈小几岁，他学习也很好，汇文中学毕业的，本来也能上清华，结果要考大学的时候，正赶上老三届，

“文革”批斗会常用的整人方式——坐喷气式飞机

他还正好是最大的那个老三届。大家知道老三届最倒霉，插队时间最长，就是 1967 年、1968 年就去了，10 年以后才回来。北京知青主要是去山西，云南。所以大家看到北京知青各种回忆，有很多在云南的，就包括陈凯歌；还有一大拨去山西的，包括诗人食指（郭路生），还有我舅舅。

插队的生活，我舅舅给我讲过两件小事。第一件，挺有意思的。刚开始到那儿插队的时候，先忆苦思甜，大队书记说：“你们这些知青啊，不知道旧社会有多苦，吃不上饭。远的不说，咱就说1960年吧……”知青们都看着那大队书记，说：“你反动派，什么‘旧社会苦’，什么‘远的不说，就说1960年’……”

还有一件我舅舅永生难忘的事情。那时候下地劳动都是挣工分，有稍微富一点的地方，一天的工分可能换个五分钱，一毛钱。可我舅舅插队那地方，连换钱的地方都没有，只能按照工分折成一点粮食。你要想买张火车票回家探亲，或者你要想干点什么，你就得去卖粮食。那时候我舅舅才十几岁，很想家，就想回家看一看，只能去卖粮食。于是用拉车拖着分给自己的粮食，翻山越岭去卖粮食。

好不容易到了粮站，眼前却是一眼望不到头的长队。只能在那儿排，排了两天两夜，后来发现这队都不往前走。我舅舅跑到最前面一看才发现，只要你拿盒烟给那粮站站长，他立刻就能让你加塞，所以就老有人插队，于是那队就两天两夜都不带动的。我舅舅实在是没钱，可又实在是排不了了，最后就拿身上仅剩的一点钱买了两根烟，去拿给粮站的头儿，说：“大哥，大哥，您抽烟。”粮站那头儿一看，才两根烟，就拿起一根夹在耳朵上，把另一根点着了，抽了一大口，然后一口烟喷在我舅舅脸上说：“对不起，我不会抽烟。”你想想，我舅舅，一个从小养尊处优惯了的孩子，这时候才发现，原来人生是这样的。这种打击对他的人生观转变有着重大的意义。

舅公施今墨的传奇一生

前边说了，我妈从大庆回北京待产，回来了没地儿住，住到我舅公施今墨家里，才生的我。所以这里着重讲一下施今墨。

施今墨跟我家是怎样的关系呢？听过《晓说》的人应该还记得，我讲辛亥革命的时候，提到过我外婆的爷爷、清朝最后一任山西巡抚陆钟琦。

辛亥革命爆发后各地的形势是，大量的巡抚，直接把辫子一剪，独立旗子一竖，自己就变成都督了。所以那时候各省的新军和巡抚，都比赛看谁先剪辫子，看谁先革命，谁就是那省都督了。在这种形势下，我外婆的爷爷陆钟琦，很倒霉地成了辛亥革命中唯一被杀的一品大员。当时我外婆的父亲陆光熙，刚从日本留学回来，正在劝他爸爸革命，说咱是不是也追随各省一起

“文革”时城乡间流行一时的忆苦思甜大会

独立了？这时候，恰好阎锡山率领的起义新军抢先革命了，他们包围了山西巡抚衙门，冲进来就把陆钟琦、陆光熙父子俩给打死了。那时候我外婆刚刚出生，所以相当于成了半个遗腹子。

我外婆家是个庞大的家族，在清朝的时候曾经出过两个巡抚，一个就是陆钟琦，另一个是我外婆的舅爷爷，叫李秉衡。1900 年，慈禧向十一国宣战，全国各省的督抚大多是不支持的态度，李鸿章、张之洞他们还搞了个“东南互保”，管慈禧向十一国的宣战叫“乱命”，不予服从。八国联军从大沽口登陆，攻陷天津，一路向北京进犯。这时候全国就没有什么来勤王的，能押解两万条枪到北京，就已经算忠心了。李秉衡这时正担任巡阅长江水师大臣，就他自己率师北上勤王了。结果在北京通县，被八国联军击败，羞愤自杀。

你看，这家族总共就出过两个巡抚，下场却都这样，一个自杀了，一个被杀了。因此，民国以后，这家族里就没人做官了，大家就都老老实实做学问。

陆钟琦被杀以后，我外婆就跟她妈妈投奔了在北京的舅舅，也就是施今墨。于是就在舅舅的抚养下，外婆长大成人，一直上到北师大。为什么上北师大呢？就是因为北师大不收学费。其实那时候学费也不贵，公立大学大概每学期 10 块钱，私立大学每学期 21 块钱，教会大学贵点儿，可能每学期 81 块钱。可即便这点儿钱，我外婆也没有，所以就去上了免费的师大。外婆读的是物理系，毕业后又去志成中学（今北京 35 中）教书，平时还做家教，非常辛苦。但这样赚的钱多啊，那时教师的地位是很高的，再加上做家教，一个月居然能挣 120 块钱。那时候一个月，一个上尉军官才挣 10 块钱，一个工人才挣三五块钱。

外婆为了能出国留学，就拼了命地自己攒钱。有关外婆怎么艰苦，外婆的表姐写的一本书《盐丁儿》中有所提及，讲外婆每天下了课怎么步行几十里地去给人当家教。外婆的表姐也是一个著名作家，叫颜一烟。80年代初有一个著名的小说，叫《小马倌和大皮靴叔叔》，讲的是东北抗联的故事，就是颜一烟写的。

外婆也挺倒霉的，她妈妈那时候不但不工作，还打麻将，还胡乱买股票炒股，总之就是不养家那种。外婆挣的所有钱，都存在她妈妈那里，专门攒着去留学的。大家知道，那个时代都重男轻女，我外婆有个哥哥，于是她妈妈就偷偷摸摸把这些钱都给了她哥哥，让她哥哥去留学。后来她哥哥留法回来后，还创办了北京第一个动物园，叫万牲园。等到我外婆要去留学了跟她妈要钱的时候，她妈却说买了一支什么煤矿的股票，赔光了。外婆顿感绝望，工作这么多年，准备去留学，结果钱一下子都没了。怎么办呢？最后就由她的舅舅，施今墨，出了两千大洋，资助她自费留学德国。两千大洋很多呀，那时候两千大洋可以在北京买一个小四合院了。

施今墨可是民国时期的大名医，特别有钱。他们家在北京绒线胡同，长安街边上，48间半的大院子。北京标准的四合院是14间一进，一进就是一个院子，南北房加东西厢房，加一起共14间。我们家以前在太平桥就有一个14间的四合院，但施家是48间半的，你想想这得多少进，多少跨院，总之有钱极了。民国的时候，施今墨号称北京四大名医之一，而且是中央国医馆副馆长。中央国医馆就是当时国家最高的中医机构，馆长实际上是由最高法院院长兼任的，他能当副馆长，可以说就是中国最著名的中医了。

这里多讲两句中医的故事。我就不讲中医西医谁真谁假、谁科学了，那

中国近代中医临床专家——施今墨

是另外一个话题，咱们以后有机会再去讲。这里我只讲中医的故事。

1929 年，国民党掌握了全国政权，上来要做很多革新的事情，其中一件就是“废除中医”。为什么呢？主张废除中医的人就说，我们得向现代化迈进嘛，你看日本，明治维新时代就把国医也就是中医给废了。鲁迅去日本学的不就是西医吗，所以他就反对中医；汪精卫也是去日本留的学，所以身为行政院长的他，当然也反中医；那时候连梁启超也都是相信西医的。此外，当时大批的国民政府官员，都是留美留欧回来的，这些人怎么可能看得上中医？

所以就都提议“废除中医”，这一下可炸了。要知道，中医在中国可是有上千年传统的，从南到北，从东到西，你想那时候中国有几个西医医院？

除了美国捐的几个协和，什么华西等等，剩下的都是中医。于是，大批的中医们从南到北就开始抗议。

我看了很多有意思的记载。当时全国各地的中医都组织了请愿团，先到上海聚齐联络。大家轮番上去慷慨激昂地演讲，可大家都听不懂对方在说什么，上海中医说上海话，北方中医听完就热烈鼓掌，人家说的什么？不知道，就知道人家哭了，热泪盈眶。山西中医上去用山西话演讲一通，也是哭得不行，大家还是热烈鼓掌。后来大家就一起去南京行政院请愿，这其中就有施今墨带领的“华北中医抗议团”。

这种请愿本来是不可能有效果的，因为当时这个法案在立法院已经通过了，中医们来晚了。结果赶巧了，汪精卫的老丈母娘病了，也不是什么大毛病，就是拉痢疾，但拉痢疾这病跟身体的整个系统有关，一时间，西医怎么也治不好。于是大家就说，请愿团里不是有一个大名医叫施今墨吗？要不请施今墨大夫给看看？汪精卫的老丈母娘可没那么洋气，点名就要施大夫看。汪精卫没辙了，说那行吧。施今墨就去了，诊断完以后，可能也是为了跟西医赌气，说：“我一剂药就能治好。”最后果然一剂药就好了。

汪精卫一看，不得不服，说：“看来这中医还是管一点用。”于是最后表了态，说：“还是不要废除中医了吧，但是呢，今后中医也得考核，得发这个证书。”最后由谁来考核呢？就选出了四个大名医，号称北平四大名医，其中就有施今墨。还成立了中央国医馆，由最高法院院长当馆长，施今墨当副馆长。

说到中医请愿这个事，再给大家补充一个有意思的小细节，这是我从一个上海名医的回忆录里看到的。可能是因为请愿成功了吧，大家欢欣鼓舞，上海的中医团就到北京来回拜北京的名医。在北京中医的带领下，一帮人去药王庙拜药王。北平拜药王的规矩一大堆，还要准备各种各样的东西。施今墨就代表北京中医界，在那儿指点，说你得这么拜，那么拜。拜完以后，大家就在外边喝茶，畅叙北平上海两地中医的情谊。

其中有位上海中医，不知怎么就听说了，说北京药王的塑像背后，有一个机关，里面放着一本明朝的《本草纲目》。于是他就趁大家喝茶的时候，偷偷摸摸跑到药王背后，找到这机关，给打开了。一看，里边还真有本《本草

1929 年，“抗议国民政府废止中医进京请愿团”代表合影留念

纲目》，就想拿出来看一眼，这就跟唱戏的人看到一本古谱子、学武的人看到一本武功秘笈一样，一定得拿出来看一眼。这哥们伸手就去拿这《本草纲目》，没成想，手一碰，整本书成灰了，因为它在里头已经放了几百年，早就风化了。

这哥们一下子傻眼了，很快就被发现了，于是被抓起来送了官。当然，他也没被关多久，最后被施今墨，还有曹汝霖，一起保了出来。出来后他们就跟他说，牢是不用坐了，可你把我们在药王庙里供奉的这本珍贵的《本草纲目》给毁了，你说怎么赔吧？后来他们给了他一个建议，说，要不你就在药王庙义诊一个礼拜，专门给北京老百姓看病，就算将功补过了。

于是这上海中医就只好在那儿义诊，北京的中医都在旁边看着。看什么呢？看方子。他们就是想印证一下南北中医的不同之处。确实很不同，其中有一个最大的不同：上海中医开药，都开胡庆余堂的药，就是胡雪岩办的那个；北京的中医，都开同仁堂的药。这位闯祸的上海名医，可能也是觉得挺对不起北京中医界，就想让北京名医高兴一把，于是他开药的时候，就尽量多开同仁堂的药。最后北京的各位名医看了他的方子，都非常高兴，说："你看，上海名医来，他也得开我们北京同仁堂的药。"

到现在施今墨还流传着很多匪夷所思的邪乎的医案，我要多说了，大家肯定说我迷信，宣扬伪科学。那我就说一个我妈亲口讲的，别的江湖郎中的事我不说，我妈讲的总可以说吧。

我妈在大庆有一个工友，生病卧床很久，起不来床，最后被我妈给带到北京来了，想找施今墨给看看。那个时候老先生都80多岁了，自己也已经卧病在床，但是刚听见脚步声，就听出我妈是带了个病人来，而且已经知道这个病是什么了。他自己把完脉以后，又让他几个弟子也来把把脉。他大弟子是他的大女婿，叫祝谌予，当过北京市政协主席、协和医院中医科主任。加上他的女儿施如瑜、施小墨，都来把了把脉。老爷子说，我行医几十年，这是第二次把到这种脉。最后老爷子开出来“一两砒霜”的方子，等这方子拿到药房去，药房伙计一看，见有施大夫的签字，说：“这要不是有施大夫的亲笔签名，我们可能就报警了。”一两砒霜能毒死两头牛，最后病人服下了这味药，打下了几条虫子，病也好了。

我妈还给我讲过一个更匪夷所思的关于我的事，也跟大家聊聊，说实话这事我不太相信。

当初我爸我妈打算要孩子的时候，为了保证孩子的健康，曾经找舅公给号过脉。舅公分别把了我爸我妈的脉之后说，如果想优生，想生一个健康的儿子的话，你俩得在哪天哪个时辰行房。或许这也有点科学道理，就是在生理周期最佳的时候行房，就能生一个健康的孩子。我爸我妈就谨记教诲。那还是在松辽油田会战的时候，天还挺冷，他俩还没住一块，隔着十几里地，平时礼拜六才能见一面。等到舅公说的日子，是个礼拜三，俩人说，那咱就听舅舅的吧，今天会战吧。俩人走了十几里地到一块，后来就有了我。这算不算优生我不知道，反正说明施大夫是非常神奇的。

其实施今墨本人也是信西医的，他后来和几大名医一起，开了家“北平国医馆”，后来他个人出资又开了家“华北国医学院”。在华北国医学院里，他就是三分西医、七分中医的教学，也教西医的解剖等等。他认为西医有很多地方是对的，同时也认为中医有很多地方是不能替代的。这块儿咱们就不多讨论了。

我们家这个家族特别庞大，也有学医的，比如我的五爷爷姜泗长，就是学西医回来的。解放以后他担任了解放军总医院（301医院）的副院长，同时是毛主席医疗小组耳鼻喉科的组长，是中国耳鼻喉科的权威。我在美国看过一些反动书籍，具体书名我就不讲了，反正跟医生什么的有关。我回国后还问我这五爷爷，说你认不认识写书这人？姜院长说，当然认识了，我们是医疗小组的同事。然后他具体怎么回答的，我这里也不能多说了。我最后就问他一句，我说那个张玉凤真的很美吗？他说，反正我觉得她皮肤确实非常好，别的就不能多讲了。

1956年，毛泽东同施今墨亲切交谈

解放以后，我舅公把北平国医学院、华北国医学院，还有他多年积累的很多方子，都献给了国家。北平国医学院、华北国医学院后来合并成了现在的北京中医药大学。令人唏嘘的是，后来我出生的时候，我舅公的家已经不是那个48间半的大房子了。为什么呢？“文革”开始了，人人都得批斗，你给蒋介石看过病，你还给汪精卫他老丈母娘看过病，不批斗你批斗谁？

施今墨是唯一给孙中山、蒋介石、毛泽东都看过病的。在给毛主席看病的时候，毛主席还跟施先生开了一句玩笑：“施先生，我可知道您太多年了，您可是曾经当过我的父母官啊。”施今墨一听都傻了，问：“我一个医生怎么当过您的父母官？”毛主席说：“辛亥革命时，你不是当过湖南的教育厅厅长吗？那时候，我还在湖南读书。您是教育厅厅长，当然是我的父母官喽。”

再说件“文革”的事。我刚才说的我五爷，这姜院长，也曾经被打倒过两次。红卫兵问他老婆，就我这五奶奶，说：“姜泗长有没有给台湾发过报？”我这五奶奶属于那种，咱不能叫没心没肺吧，就是那种心比较大，神经比较大条的，脱口而出一句：“这我哪知道？我夜里睡觉，他给谁发报，我哪知道？”把我五爷给气的，说：“咱俩一辈子，你居然说这种话。”当然最后我这五爷也没给真正打倒，也还继续给毛主席看病。我舅公他们家也是，虽然给轰出了那个大院子，但在党中央宿舍还是给他安排了一套挺大的房子，差不多是副部级待遇吧。我出生前后，我妈待产、坐月子，就是在这套房子里。

后来“文革”结束，施大夫、姜大夫当然都平反了，我们家也平反了。我们家的房子也还了，施家这个房子因为太大，48间半，就来问他们，说这房子还给你们吧？那个时候施今墨已经去世了，他的夫人，我管她叫二舅婆，她把孩子们都叫来，说这房子咱们还要不要？大家投个票吧。那时候“文革”刚结束，估计大家全都给折腾怕了，结果投票说不要了。当然后来他们家又后悔了，就又去要了，结果人家房管所说，我们这儿有“文革”刚开始的时候你们家老爷子的亲笔签名以及画押，说这房子是捐给国家的。大家知道，那个时候收房子签字画押，绝大多数都是说这房子捐给国家了，从北京的大宅子，到上海的小洋楼、工厂、商场，都说是捐给国家的。现在怎么能要回去呢？就给驳回来了。所以到现在，施家在绒线胡同这 48 间半房子，还被占着，还有好几个单位在里头办公，要不回来。

问答

Q1：1949年的时候，你们家怎么没跟着跑到台湾去?

A1：幸好你是现在问这问题，要早点问，估计就被打成台湾特务了。其实那时候清华大学很少有人走的，几乎所有教授都留下来了，清华大概只走了梅贻琦本人，连他家里人都没走。梅校长的儿子就留在了大陆，叫梅祖彦，跟我还很熟呢。应该这样说，文科教授走得比较多，像胡适呀，傅斯年啊，梁实秋啊等等。可能是学文的人眼光都比较长远吧，理工男的政治头脑通常不是很敏锐，而且还一根筋，就想着要建设这国家，建设新中国。当时国民党撤出清华，共产党还没占领，中间有段真空期，全体清华教授，包括我外公外婆，就组织起来了，叫“教授护校队”，来保护学校的实验器材、图书馆等等，当然还有保护学生。那时候，大家都热情洋溢地等待新中国，所以把清华、北大、燕京大学等，都保护了下来，完整地交给了共产党，所以几乎都没有走。

Q2：“二战”期间，季羡林季先生也是在哥廷根大学读书，跟你外公外婆熟不熟?

A2：熟，当然熟。首先要说一点，哥廷根大学是当时世界上最好的大学，哥廷根学派是当时世界上最强大的学派。当时以哥廷根大学为中心的德国学界，得的诺贝尔奖，是美国的10倍都不

止。其实后来美国的大学教育、科学研究的迅速兴起，就跟“二战”导致的大批哥廷根学派学者到美国去，有很大关系。季羡林跟我外公外婆，不但是同学，而且还是坐同一辆吉普车逃出德国的。1945年的时候，德国接近崩溃，所有的公共交通完全瘫痪。几个中国留学生就在一起商量，怎么才能逃出德国呢？后来一寻思，咱们是盟国人啊，咱是战胜国，直接找美军司令部去啊。于是我外公外婆带着我妈，还有季羡林先生，以及另外一个中国留学生，大家一起找到美军司令部说，我们都是中国的留学生，帮我们弄辆车吧。美军司令部还真给安排了辆车，而且还派了一个少校给开车。所以说，季先生和我外公外婆曾经共患难过，保持了几十年的友谊。我记得小时候的每年春节，两家都要走访一下，住得也近嘛，一家在清华，一家在北大。

CHAPTER 01

第二章

朝花夕拾

我的家史（下）

提示

X 长叹了一声说："其实也不是他的错，其实我到现在也没结婚。想起这一生，其实我最感激的人还是他。那时候我十几岁，离家万里，在西北那种荒蛮的地方，我到今天都记得，他每天来，戴着白手套给我吹黑管的样子。这是我一生最珍贵的回忆，所以我一点也不怪他。你转告他。"〉〉

二叔的“何以笙箫默”

我妈这边的口述历史说了一大堆，回过头来再说说我爸这边的。

我爸这边有一个故事，是一定要跟大家分享的，就是我的二叔的故事。当然不是亲叔叔，是我堂叔，按家族里的排行，我管他叫二叔。二叔的故事跟崔大师的故事一样吸引人，我也写了剧本了。因为我觉得这些口述历史是最真实的，比编剧编出来的故事要动人得多。

我爷爷的母亲一直活到100多岁，一直住在杭州。上学的时候，因为我是我们家族的长重孙，又叫承重孙，所以差不多每年暑假都要花一点时间到杭州去陪伴她老人家。在杭州我们家有一个很大的院子，位于杭州市中心附近的中山中路祖庙巷。这个巷子现在已经没有了，后来拆迁了。解放以后，曾经把那院子的一半给了什么乐团，在里头排练。所以小时候经常听见隔壁咿咿呀呀的声音，挺有意思的。后来拆迁的时候，这剩下的一半院子好像换了七套几居室，可见那得是多大一个院子。

过去大家都住在一起，我爷爷的母亲，我二叔，我四叔，我四爷爷家的孩子等等，都住在那院子里。院子里还有一口井，我还记得夏天的时候，经常在井里冰西瓜。怎么从井里捞东西，我就是在那儿学会的。

那时有一件特别蹊跷的事，每年我回去的时候，所有人都跟我说，不要理你二叔。在院子里的一个角上有间小屋，是我二叔住的地方，他也没有家人。那时候他岁数已经挺大了，就住在那个角落里，也不跟大家一起吃饭。大家吃饭的时候，他就自己在那儿生炉子，煮点饭吃。有时候我就想去跟他说说话，所有人都跟我说，你别去，他有精神病，很危险，等等。

大概是我初中毕业那年的暑假吧，有一天我二叔突然过来对我说："你过来，到我屋里坐会儿。"别人都拦着我，说你别去。我从小就一毛病，哪儿危险，就一定要去哪儿，觉得有意思。我想看看精神病什么样，于是我就到他屋里去了。结果一到他屋里，我都傻了。原来他在屋里做了一整套的声光电控制系统，一拍手，迪斯科就在屋里响起来了。后来我去清华读无线电系，其实就是因为我初中毕业那一年，我二叔教了我好多无线电的知识。

我二叔是一天才，他曾经利用变压器原理，发明过一个有意思的电烙铁。大家知道电压变低，电流会变大，电流变大的时候，就会烧红电烙铁前边那个丝。这就像手枪一样，搂一下就红了，立刻就能焊，比我们在清华大学无线电系用的那个电烙铁要好用得多。就用这个电烙铁，二叔教我这教我那，自己制造了彩色电视机，做了各种各样的音响，二叔有很厚一摞唱片，是那种塑料薄膜唱片。我在他那儿听了大量的音乐，从古典音乐到刘文正、邓丽君等等，用的都是他自己做的唱机。而且二叔的黑管吹得极好，有时候我妈到杭州，他俩一起到西湖边上吹黑管，好多人都围观。

所以我对二叔说，你不是个精神病，你是一天才啊。他就说，我当然不是精神病，他们都觉得我是精神病，是因为我不爱理他们。我可以给你讲一下我的故事，我实在忍不住想讲给一个人听，因为最近我遇见了“她”了。二叔给我讲这个故事那一年，是 1985 年，我初中毕业。二叔所说的“她”，是谁呢？“她”，就是二叔的故事。

二叔也是老三届，和我小舅舅差不多，要不然也就上大学了，只是正好赶上“文革”，他就去插队了。杭州知青去哪里插队呢？特别特别遥远的两个地方，一个是黑龙江，我四叔就是去黑龙江插的队；另一个是宁夏，我二叔去的地方。一说起宁夏，好多人的第一反应是“塞上江南”，但对不起，他插队的那个县很穷，叫永宁县，非常荒凉的一个县。

二叔刚去永宁县的时候，大概 18 岁。他是个闲不住的人，无线电好，黑管吹得也好，他就组了一个杭州知青小乐队，还到各个村子去给知青演出。后来在离他们村子大概 20 多里的另一个村子，他遇见了那个“她”——一个初中的老三届。大家要知道，那个时候的老三届还分为高中老三届和初中老三届，初中老三届更倒霉，差不多才十五六、十六七岁，就去插队了。

那时候，“她”是一个美丽的杭州姑娘。因为他们都还健在，所以我就不说具体名字了，就管“她”叫X吧。二叔和X一见钟情，迅速产生了爱情。这种“迅速”其实也可以理解，大家想想，一个十八九，一个十六七，都离家万里，若能互相照顾，多半会迅速陷入热恋吧。当然，那个时候的爱情还是很纯洁的。我二叔每天收了工，走大概十几二十里路，到X所在的村庄，两个人躲在一个柴房里。干吗呢？给这个X吹黑管。特别逗的是，二叔每次吹黑管，都要戴上白手套。那时候能吹的也就是那些苏联歌曲，X会画画，就给二叔画像，画了很多像。两个人在一起好了大概有两年吧，虽然有时候在柴房一起过夜，但是也没发生过什么。

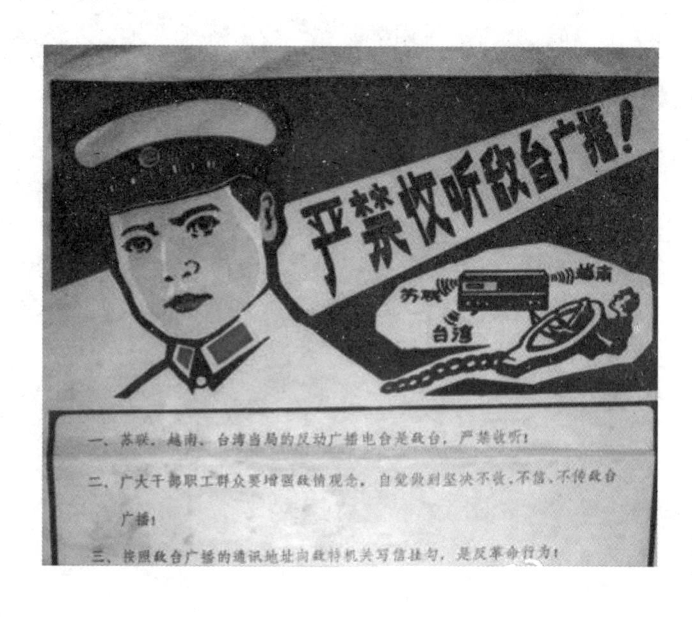

“文革”后的1982年，偷听敌台还是一项大罪

然而，转折出现在了某一天。二叔是个闲不住的人，他拿手头能找到的各种元器件，做了一个收音机，两个人就在那儿听收音机。宁夏那个地方，离外蒙古、离苏联比较近，结果那个收音机就收到了苏联的电台。大家知道，那个时候苏修美帝都是我们的敌人，你要敢听美国之音，敢听苏联电台，就有特务的嫌疑，就能立刻把你给抓起来。因为那时候都说，外国电台的广播里，比如天气预报，都是有接头暗号的。真假我也不知道，反正长辈们经常跟我说不能听敌台。

二叔他俩，你想才十几岁，收到了苏联电台，于是都吓坏了，赶紧关掉收音机，俩人就分开，各回各村了。二叔还没走到自己村庄的时候，就碰见了村长，村长说村里出事了，有公安来抓苏联间谍。二叔吓坏了，他心说，人家来抓苏联间谍，那就是我了啊！否则还能是谁呢？肯定是有谁知道我偷听了苏联电台，告密了啊！于是二叔吓得没敢回村，直接就跑了。他什么行李都没拿，就一双白手套跟一跟黑管，从宁夏永宁县就出逃了。

出于恐惧，二叔一路逃亡。那个年代政府对社会的控制之紧，是令人难以想象的。户口、粮票，都是你出行的紧箍咒，没有户口，没有粮票，你是寸步难行，你是活不了的。那时候你从杭州出差到北京，要拿杭州粮票去让单位给你开介绍信，说要去北京出差三天，拿 3 斤杭州粮票换 3 斤全国粮票，才能去出差，出差时才能吃上饭，否则你拿杭州粮票到其他地方都没法买东西吃。在那样紧的情况下，你想想他能怎么逃亡，所以没多久就被抓住收容了。收容期间他碰见一个右派，大家知道右派是 1957 年关起来的，到那个时候已经过了十多年了。右派也是越狱逃出来的，右派跟他说："你这么逃是没有用的，我告诉你一个地方，在东北大兴安岭深处，有一个麻风病人的村子。其实那个村子里有很多人是逃犯，只是对外说有麻风病，这样别人就不敢来了。我就打算逃到那儿去，要不然你就跟我一起去吧。”二叔就说：“不行，不行，我不能去，我害怕，我想回家。”

你想想，那时候他才多大，最后他拿那个黑管贿赂了看守，就跑了出来，一路讨着饭，还做些零工，往杭州返。二叔游泳也很好，所以中途还在长江边上当了半年的救生员。走了一年之久，才回到杭州。因为是逃回来的知青，所以当然不能让任何人知道。怎么办呢？幸亏我们家那院子比较大，他就在院子里挖了一个地窖，藏身在里面。没有工作就没法吃饭，怎么办？只好捡破烂，卖废铁。他在卖破烂的时候，在废品收购站看到好多贝多芬的唱片，特心疼，说那我收了吧，于是就用卖废铁的钱，换了一堆贝多芬的唱片。

这批唱片也没白收，除了他自己偷偷摸摸地听之外，他还曾经组织过舞会，在舞会上播放这些唱片。过年的时候，我四叔也回来过年，于是二叔就组织一帮年轻人在他那儿开小舞会。过了没多久，外边传来消息说，附近出现了一个“贝多芬反党集团”。这把他给吓着了，心想，我这既听贝多芬唱片，又组织舞会，这是被发现了啊！现在的年轻人可能不能想象，那个时候组织舞会就是罪过。

于是我二叔又开始逃亡，上回从宁夏回来可以回杭州，这回去哪儿好呢？他就想起了那个右派跟他讲过的麻风村，天地之大，无处容身，那就去那儿吧。于是他就长途跋涉，往大兴安岭方向走，路上他就想一个问题：是谁告的密？他们怎么知道我做了一个收音机，搜到了苏联电台？他们怎么会知道，我弄了几张贝多芬唱片，开了个舞会？

他一直被这个问题困扰着，折磨着，慢慢地精神上就出现了问题。他臆想着，“他们”肯定是有一种仪器，能接收人的脑电波，所以能测出我脑子里想什么。这么想着，他在路上就开始避开人群。饿了怎么办？他就拿一个铁锅扣在头上，到有人群的地方找吃的。这是真事，编剧绝编不出来这种牛逼的细节。为什么要脑袋扣一个铁锅呢？因为他无线电好啊，他知道铁锅能屏蔽信号，这样别人就没办法知道他脑子里想什么了，也就没人能去告他的密了。等没人的时候，他还能拿这铁锅自己做点饭。

等到了大兴安岭，他还真就找到了那个麻风村。我们家有一个朋友，北大的一个右派，也曾经逃亡过，他亲口跟我讲过，他也去过大兴安岭的那个麻风村。我从两个渠道听到这个麻风村，看来那里藏了一些逃犯这事是真的。北大那右派给我讲得更厉害，他说他在找那个村子的过程中，在大兴安岭里边，还曾经用一节铁丝手刃过一只野猪。当时我看着他，有点不信，我说你这一文弱书生，戴着眼镜，您还能手刃野猪？他说，你不知道，为了生存，那都拼了。这个右派住在史家胡同，现在已经去世了。

我二叔最后找到了那个村子，就在那里“潜伏”了，躲了一些年。他在那里主要做的事，就是写申诉材料，说我怎么怎么冤枉，就写他这两个案子，什么苏联间谍案、贝多芬反党集团案等等。后来直到有一天，传来消息说，“四人帮”粉碎了，“文革”结束了，可以回城了。于是他就特别高兴地回到杭州，去相关部门排大队，去递交申诉材料，说我冤枉，应该平反。

这时候，最最可笑的事情发生了。人家一查，当年宁夏永宁县的苏联间谍案，抓的根本不是他，而是另有其人，而且那人也已经平反了；至于那个贝多芬反党集团，更是跟他一点关系都没有，抓的其实是杭州交响乐团的一个指挥以及他周围的一帮人。两件事都跟他一丁点儿关系没有，他完全是出于恐惧，自己“主动”逃亡了十年。这样算下来，他比所有人都惨，人家平反，还能补发工资，还能恢复名誉，还能再给点什么待遇，他呢，什么都没有。

于是我二叔就真的疯了。疯成什么样？我曾经亲眼见过，他在倒垃圾的时候，突然就把一盆垃圾扣到人家邻居脑袋上，嘴上还说：“当年就是你告的密！”还有一天，有人砸门，我们家人打开门，外边这人，脸上有一口痰，说：“你看，你们家这疯子吐我脸上一口痰，你们看怎么办，你们怎么赔吧？”一家人只能给人道歉，说实在对不起，实在对不起。我四叔就经常给人道歉，说我这哥哥确实是“文革”的时候受过刺激，非常对不起。我二叔还干过一件事，有一次他在街上看见一个人，非说人家告的密，上去就跟人打架，结果被对方一个大背跨摔在地上，后脑勺缝了好几针。后来才知道，那哥们儿是一职业摔跤运动员。

后来二叔老干这种事，没办法，就让他住了几次精神病院。可每次出院以后，犯病就变本加厉。再后来，他就开始说，我要去找那X。“文革”结束后，那个X一直没回城。二叔说那我就去宁夏找她吧。于是就跑到了当年他插队的宁夏永宁县，到了永宁一打听，有人说可能去了银川。我二叔就跑到银川去找。可到了银川也没任何线索，人海茫茫，根本找不到这个X，于是只能回到杭州，开始了坚定的等待。

等待的过程是怎样的呢？二叔手特别巧，什么都会干，还会打家具。那时候结婚有个说法，叫“三十多条腿”，说是一个柜子四条腿，结婚大概需要打十几件家具，能凑个三十多条腿就能结婚了。于是二叔就开始帮人家打家具。他无线电也好，所以后来又开了个小铺子，给人修电视、修收音机，靠这些手艺挣了点钱。等攒下点钱，他就开始给自己打了一堆家具。人家问干吗给自己打那么多家具，他说准备结婚，等 X 回来我们就结婚，虽然他根本就不知道 X 在哪儿。

等了一年，也没有等来 X，二叔就把家具全劈了。我亲眼看见，他把那些劈碎的家具，扔进了炉子里。然后他又从头开始打家具，如此循环往复。后来还有人给他介绍过一个对象，那女的还挺爱他，因为他心灵手巧，才貌双全，还能挣点钱。最后他也没办法，说一定要等那个 X 回来。他又觉得对不起那女生，怎么办？两人吃了一瓶安眠药，说反正我也等不来我爱的人了，既然你爱我，我也没法跟你在一起，那咱就一块死了吧。他们刚吃了安眠药，就被我四叔发现了，赶紧送到医院去抢救，幸亏发现得早，这才救回一条命来。

几年之后，那个 X，居然出现了。她这十几年去哪儿了呢？现在再来说说 X 的故事。

大概在我二叔逃亡之后一两年，永宁县爆发了一场大械斗，械斗的双方就是杭州知青跟当地农民。械斗之后，X 就逃到了银川，然后跟别人就失散了。人海茫茫，举目无亲，没有办法，X 就嫁给了一个公共汽车的售票员。那个售票员对 X 非常好，可以理解，一个淳朴的西北汉子，能娶到一个水软风清地方来的杭州美女，当然就会当掌中宝一样，对她非常好。后来那售票员当了公共汽车司机，X 就顶替他，当了售票员，等于俩人一个开车，一个卖票。俩人还生了两个孩子，一儿一女，我还曾经见过。

后来“文革”结束，知青回城。当时的政策是：如果你跟当地人结婚了，就不能回城了，只有探亲假，这个政策是很残酷的。这就导致当时大量的已经跟当地人结了婚甚至有了孩子的知青，只好被迫离婚，或者假离婚，就为了能回城，能有一个城市户口。X 和这公共汽车司机的感情挺好，还有俩孩子，就没有离婚，就没回杭州，就在银川生活下去了。但还有探亲假啊，所以每年大概有几天探亲假能回杭州探亲。

大概是在 1985 年，X 带着孩子回杭州探亲的时候，和我二叔在街上遇见了，这简直比电影还要巧。这时距两人 1968 年在宁夏相爱已经 17 年了，两人都已经 30 多岁了。遇见之后，两个人的感情立刻复燃了，还发生了关系。这时候 X 才发现二叔还是个处男，才得知，为了等她，二叔一直未婚，特别感动。因此，X 就坚定地要回银川离婚，再嫁给我二叔。当然，离婚这事，注定不会顺利。我还记得，那次他俩去银川，路过北京，还住在我们家了。在夜里，我就听二叔哭起来了，还听见两人在吵架，然后就听见冲厕所的声音。第二天早上我爸跟我说，你二叔昨晚又犯精神病了，他把一块意大利的手表，给冲到厕所里去了。这其实就是因为离婚离得不顺利，刺激到了他。

你想啊，X 的丈夫，那纯朴的西北汉子怎么能接受呢？说咱们在一起这么多年，儿女都长大了，为什么就要离婚呢？他就跪在地上给 X 磕头，磕的满头是血。最后 X 忍痛说："我还是要离婚，要跟他在一起，他等了我那么多年，我要对得起他。"最后 X 把儿子都放弃了，儿子判给了她丈夫，X 带着女儿回到了杭州，最后嫁给了我二叔。

故事到这里，本来应该圆满结局了。没想到嫁过来之后，我二叔的那个病还是没有好利落。犯病的时候，他就不停地跟 X 闹，说："你就是他们派来的，别人都没告密，就是你告的密，就是你收到了我脑电波……"X 回杭州以后，工作找得也不是很顺利。说是知识青年，其实她没什么知识，初中毕业就去插队了，后来一直在银川公共汽车上卖票，所以你说她能找到什么工作呢？先是在武林门广场公园卖票，后来我二叔就去闹，说她是特务；X只好又换了个远郊区的工作，又被我二叔发现了，又去闹。X的女儿回杭州落了户，要上学，好不容易找到一个小学接收，我二叔也去闹，说她离过婚等等。今天大家可能不理解，那个时候说“离过婚”，是一件挺严重的事。二叔还经常在街上跟人打架，最后X还老得去给人道歉赔礼。后来二叔甚至专门跑到银川去跟X的前夫闹，说你们俩肯定是约好的，你们俩肯定是什么什么组织派来的，一起害我，说你们俩为什么要离婚，就是要来侦查我，来吸收我的脑电波来了……这完全就是严重的精神病了。最后没办法，实在过不下去了，俩人又离婚了。

1985年的暑假，我初中毕业，这年正是他们相遇的那年，也是他们最相爱的那一年。那段日子是我二叔最幸福的时候，所以他才把我叫到他的屋子里去，给我讲了他俩的故事，这就是上边我给大家讲的整个故事。

后来我也要做电影了，就想把二叔的故事拍成电影。写剧本的时候，我想采访一下X，就回到了杭州，通过四叔等各种关系，我找到了X。这时他俩已经离婚很多年了，我二叔已经60多岁了，X也将近60了。去见X之前，我跟二叔说，我又找到了X。二叔急切地问：“你真的找到她了？她现在怎么样？”我说：“还不知道，我约了她晚上在西湖边喝茶，想采访一下当年的故事，我要写剧本。”二叔听完以后，特别难过，一直跟我说：“那你替我转告她，我对不起她，但那是时代的错误，我现在病已经好了，我的病好了。”直到我走出楼门了，二叔还追出来，让我一定要转告X，说他对不起她，我走

出很远了，还看到二叔站在巷口看着我。

晚上我见到了X，虽然已经快六十了，但依然看得出，她年轻时一定是长得很漂亮的那种温婉女生。采访那天，她女儿也在。她女儿非常恨我二叔，就是因为我二叔，她父母才离的婚，她才跟哥哥跟父亲分开了。所以那天听说我要采访她妈妈，非要陪着来旁听，就怕我歪曲这些故事。我说我不会，我就是想诚恳地把当年这些时代造就的故事，写成剧本也好，写成什么也好。

最后我跟X讲，二叔让我转告你，他对你表示深深的歉意，他对不起你。X长叹了一声说："其实也不是他的错，其实我到现在也没结婚。想起这一生，其实我最感激的人还是他。那时候我十几岁，离家万里，在西北那种荒蛮的地方，我到今天都记得，他每天来，戴着白手套给我吹黑管的样子。这是我一生最珍贵的回忆，所以我一点也不怪他。你转告他。"

这就是这故事的结局。

任何编剧也编不出来这样一个故事，所以我更加觉得普通人的口述历史，比从教科书上看来的更能反映那个时代。没有人迫害过我二叔，是那个时代，导致了他的恐惧，导致了他的逃亡，那个时代导致了爱人的分离。

我记得作家阿城的父亲叫钟惦棐，是中国当年最好的影评人，他有一篇特别震动我心灵的影评，叫《谢晋电影十思》，在报纸上登过一整版。他说谢晋的电影里面，《天云山传奇》也好，《牧马人》也好，仿佛只有迫害主人公的那个人才是坏人。比如《芙蓉镇》里那个书记，非要躺在床上，拿一个木头做的裸女，摸那个木头裸女的胸部，仿佛只是因为他个人品质败坏；再比如《牧马人》里，仲星火扮演的那个迫害主人公的人，是一个爱打老婆的

1986 年，引起人们深刻反思的电影《芙蓉镇》

品质恶劣的人。钟惦棐的影评里就问："谢晋你为什么要这样拍，难道每一个迫害人的人，都是因为个人品质恶劣吗？难道说像《牧马人》里补发了主人公 500 块钱工资，在《天云山传奇》里坏人受到了什么样的惩罚，就能把所有的东西都平复了吗？"

当时我看到那个影评的时候，心里特别激动，因为二叔的故事就是一个活生生的血淋淋的例子。他等了 17 年，把 X 等回来了，可那些美好的东西永远也回不来了。有时候我在微博上看到居然还有很多人在为那个时代翻案，而且还有很多是年轻人，我是真的不能理解。所以我在这儿讲一些身边的人口述的历史，给那些还想为那个时代翻案，还想回到那个时代的人听一听，那是个什么样的时代。

我的二叔勇敢爱的故事，就聊到这里。其实我们家的人都挺敢爱的，但唯有二叔的故事是最让我难忘的。我希望有一天，能够拍出这个电影，就像有一天能够拍出之前跟大家讲的崔大师的电影一样，我相信这一天一定会来。

三观尽毁的童年记忆

今天就不跟大家聊那些沉重的往事了，沉重的往事都是我出生前的事情。今天聊聊我出生后的故事，聊聊那些我的童年、我的成长过程中觉得比较快乐的、能够反映一些时代印记的故事。

前文说了，我是生在施今墨施家。生下来以后，大概一半时间在北京，一半时间在上海，因为我爷爷奶奶住在上海。因为我上海、北京两边跑，所以小的时候有一个特别深刻的印象，就是“火车窗户”。我大概在六七岁之前，都没有见过火车门长什么样。因为那时候的火车之挤令人发指，我每次上火车，都是从窗户里给递进去的，就是有大人先上去，然后外边人把我从窗户塞进去；下火车时，还是大人先下来，里边人把我从窗户再递出来。小时候，我就这样从窗户进出了火车好多年。

因为我在北京、上海两地都生活过，所以就亲历过一些有意思的历史，给大家分享一下。

上幼儿园的时候的历史事件，我现在还能记起的，就是批判邓小平，叫“反击右倾翻案风”。那时候老师说大家都要上街去游行，我们就傻不拉叽地跟着上街喊了几句口号。喊的什么忘了，这件事印象极其不深。紧跟着这件事之后，印象最深的一件事，就是周总理去世。记得那时候，我感觉天要塌了，因为回到家里，看到全家人都哭得不行。后来毛主席去世我也经历了，毛主席去世的时候大家只是那种特别震惊、特别慌张，就是那种不知道这国家的未来怎么走的感觉。但是周总理去世的时候，大家就真的有点如丧考妣的那个意思了。当然这也可能和我们家的解放受惠于周总理有很大关系。

那时候幼儿园老师让我们叠了很多白花，然后扎成花圈送到天安门去。在天安门印象非常深的是，有很多人在那儿慷慨激昂地朗诵各种各样的诗，还有抄诗的。因为悼念总理在当时是不被允许的，所以大家就都念诗。我们这代人都还记得有首著名的五绝：“欲悲闻鬼叫，我哭豺狼笑。洒泪祭雄杰，扬眉剑出鞘。”这就已经不光是一首悼念的诗了，有点像战斗檄文了。所以那时候空气是空前的紧张，所有抄诗的人都把诗藏在各种隐秘的地方。

那时候我就手欠了一回。有一天把我们家全家福的镜框后边给打开了，结果掉出好多诗来，都是我爸妈从天安门抄回来的。我爸妈当时吓坏了，说这孩子怎么手这么欠，恨不能给我痛打一顿。他们赶紧把那些诗收集起来，但又舍不得烧，觉得这就好像是历史的见证一样。后来连夜坐火车藏到了沈阳我大姑家里，因为我大姑和姑夫都是北航毕业的，他们都在沈阳的军工企业里上班。

我挨过最冤的一顿打，是在这件事之前。好像是在大年三十那天，我在沙发上蹦，蹦着蹦着，嘴里说了一句“驾着马车给苏联送情报”。大概那时候小人书看多了，而且那时候的小人书讲的全是抓特务的故事，弄得我们这些孩子只要在街上看见一外国人，就想偷偷跟踪，因为觉得这肯定是一特务。大年三十本来大家都欢声笑语地在聊天，结果我说了一句“驾着马车给苏联送情报”，唰的一下，一大家子全都鸦雀无声看着我，那种恐惧都写在脸上，说：“你说什么？！”本来我们家就因为“里通外国偷运贵金属出境”差点被打成特务，我要是出去在街上说了这句，那岂不是全家又完了。所以我爸妈马上把我拖到里屋，用那种硬塑料拖鞋底把我痛打五十下。大过年的，家里年都没过好，可见那时候气氛紧张成什么样。

1976 年 4 月 5 日那天，我舅舅还骑车带着我去了一趟天安门广场。广场上人山人海，到处都是花圈。后来下起了小雨，舅舅说：“下雨了，咱回去吧。”于是我们就骑车回了清华。幸亏我们回去了，如果那天我们待到了晚上，今天就没人坐在这儿跟大家口述历史了。那天晚上广场上发生了什么，大家可以去查，我就不讲了，反正后来也平反了。

相信很多人在小学时都学过一篇课文，叫《十里长街送总理》，你们肯定不知道，那里就有我。周总理出殡那天，我们全家人就在长安街边的人群里，那人群没有百万人也有几十万人。那天出奇的冷，冷到什么程度，我记得特清楚，最后我棉鞋下边的塑料底子，都冻得粘在马路上了。也不知在寒风中里站了多长时间，我都冻得不行了，起先我没看见灵车，先是听见哭声，哭声从远处传来，一直到我们这儿。周总理的灵车就很快从我们面前过去了，大概也就十秒钟。我们就开始哭，目送着灵车过去了。所以说，我还曾经在《十里长街送总理》这篇课文里出现过。

粉碎“四人帮”的时候，我在上海。那天我打开门，往外一走，忽然发现外边完全不是我熟悉的地方了。街上的每一面墙上都是漫画，把江青画成了一条美女蛇，张春桥是一狗头，姚文元手里拿着一支笔，嘴里喷着唾沫，还有王洪文如何如何，等等，这些漫画铺天盖地的。我都傻了，说这是怎么了，这出了什么事了？家人跟我说是“粉碎‘四人帮’”了。当时什么叫“四人帮”，我都不懂，就记得一个江青，为什么江青记得特清楚呢？因为我妹妹高晓江。

1976 年清明节，人民群众在天安门广场悼念周总理的“四五运动”

我在北京时，院里的孩子吵架，老爱互相起外号。有个孩子叫刘国勤，特淘气。有一次老师正在讲课，他突然站起来，手上拿根粉笔，比画着，对着老师就给了一下子。那时候“文革”刚结束，刘少奇还没平反，还是被打倒的状态，我们都觉得刘少奇是最坏的人，我妹妹就给他起了个外号叫“刘少奇”。刘国勤就骂我妹，管我妹叫“江青”。这俩人就“江青”“刘少奇”地互相骂。

那时候的小人书里，只要出现“刘少奇”三个字，必冠以四个字“叛徒工贼”，就和只要出现“蒋介石”必冠以“独夫民贼”一样。我记得我看过的一本小人书里讲过刘少奇的一项罪，什么罪呢？说革命年代里，有一个地下党员去刘少奇家里，因为走得急，把皮大衣落在刘少奇家里了。一直到新中国成立以后，刘少奇都没把这件皮大衣还给人家。

后来刘少奇被打倒了，大家都逼这个地下党员，说你得检举刘少奇。这人实在没的可说，最好只好说“刘少奇曾经拿了我一件皮大衣，还没还给我”。你说做地下工作时，有时为了转移连命都不要了，这一件皮大衣都能给画到小人书里，这不就是“欲加之罪何患无辞”吗？这简直是太可笑了、太荒诞了。

后来有一天晚上看电视，突然间哀乐响起，特别严肃的播音响起来：“伟大的无产阶级革命家、政治家、军事家、党和国家的缔造者之一刘少奇……”我当时大吃一惊，大喊一声：“啊？刘少奇是好人啊？”我们家人就给了我一巴掌，说：“闭嘴！”因为他们太紧张了，全都恨不能凑到电视跟前去看。之后我听着电视里讲刘少奇的各种事迹，感觉自己的三观完全被颠覆了。心里第一时间想的是：要这样的话，那刘国勤岂不是就成好人了？你看，我这年幼的心灵就这样一次次地被洗刷着。

还有一件心灵被洗刷的小事。小时候有句话特流行，叫“小皮鞋，嘎嘎响，资产阶级臭思想”。那时候有种思想认为，凡是穿皮鞋的，都是反动派，都是资产阶级。现在倒好，人们不但都争着穿皮鞋，还想穿LV的，整个全颠倒过来了。我小时候第一次挣的钱，就是买了一双小皮鞋给我妹。

我怎么挣的钱呢？那时候我们家没钱，穷得要死。我妈说，要不咱们自力更生吧。我妈是那种风风火火、什么都不怕的女汉子类型。怎么自力更生呢？这样，咱们偷点单位的纸吧？知识分子想不出别的挣钱方法，于是就在一天夜里，我妈带着我进到了单位里。单位里除了纸，还有油印机。那时还是特别原始的印刷方式，拿一张蜡纸，用铁笔在上面写上东西，写完了那蜡不就抠掉了吗，然后再上墨。油墨从铁笔划掉的地方渗下去，就印出来了。

我妈是建筑系毕业的，字非常好看，她就用铁笔在上面写了好多优美的歌词，比如《红梅花开》《一条小路》《深深的海洋》《喀秋莎》《鸽子》等等。一张一张写，一张一张推，大概每印100多张就花了，就得重新写一张。最后再把这些歌词装订在一起。

第二天我妈就跟我说：“你放学以后，就去中学卖这些歌本吧。”我问卖多少钱一本？我妈说卖一毛吧。等放了学，我就背着特重的书包，到中学去卖歌本了。当时还挺不好意思，那个时候的中学生都跟小流氓似的。等这些“苲蓝板绿”出来了，我就说：“哥哥，买不买歌本？”“多少钱？”“一毛。”“一毛太贵了，不买。”晚上回家，跟我妈说一本没卖出去，我妈说那就卖五分吧，反正也没本钱，用的都是单位的纸、单位的油印机。于是第二天我又到中学门口，结果人家一听说五分钱一本，马上就卖光了。那时我才明白，五分钱跟一毛钱的区别居然这么大！为什么很快卖光了呢，因为那里面写了爱情，比如什么“深深的海洋，你为何不平静？不平静得就像我那颗摇动的心……”那时候年轻人只要一看到什么“爱人”“爱情”马上就疯掉了，因此歌本很快就卖光了。

从此以后，我每天都背一个特别重的书包去上学，放学后就去中学卖歌本。

有一次碰见我妈下班骑自行车过来，问我：“儿子，卖多少钱了？”我说：“五毛钱了吧。”“那你给我两毛钱，我买肉去。”那时候买肉，不是有钱就能买的，你得有购货本，上面有定量，规定每人每月只能买半斤肉，买二两油，买半斤鸡蛋等等。所以那个时候女生挑男朋友，首选卖肉的，因为卖肉的那刀稍微多切一点，你家这个月的肉就从半斤变成六两了，而且还不多花钱。嫁不了卖肉的，就嫁给烤鸭店的服务员。因为烤鸭店的服务员能从烤鸭店里带回几个鸭架子来，鸭架子能熬汤，汤里能漂上一两星油，这就已经很好了。油对我们那一代人来说是相当重要的，我都上中学了，到食堂打饭，若看见那一大锅菜上面漂着两星油，都会跟打饭师傅说帮忙给舀起来。

所以，我从小就在那么艰苦的情况下，开始肩负起帮家里挣钱的“重任”。我妈还挺好，说给我提成，我不管卖多少，只要上交给她两毛就行了，剩下的就归我了。于是我开始攒钱，最后攒了大概有 5 块多钱吧，我就给我妹买了一双小皮鞋。这一举动，获得了全家人一下午的夸奖。他们不知道的是，其实后来我后悔了。

因为当时这五块钱能干好多事呢：能上北京最好的西餐厅莫斯科餐厅吃一顿大餐，能买一对当时最贵的红双喜乒乓球拍……可我竟然给我妹妹买了一双皮鞋！后来我想，我这辈子可能就这命了，就是当哥哥的，只要挣点钱就得给妹妹买东西。

后来我就挣钱挣上瘾了，歌本卖完了我就开始捡废铁。那时候正赶上中国开始大建设，到处都有工地，等到夜里，我就躲过探照灯，翻过铁丝网，用各种方式去“捡”钢筋。因为那时候只有买啤酒不需要什么票，后来我就用卖废铁挣的钱给我爸买了一升啤酒。

后来上大学也是。我去实验室当实验员，去一天给两块五毛钱，靠这个我挣了大学第一笔钱。我花 12 块钱买了一条小花裙子，跑到我中学特别喜欢的一个女生的家门口。那时候还没电话，也不知道人在不在家，只能干等着。结果特别逗，估计是她没在家，所以一直没出来，最后她邻居出来了，是跟她差不多大的一个女生。一来二去，我跟人聊高兴了，说，这裙子送你吧。

再讲两个小故事，来说明那时有多穷。

有一天，我爸去钓鱼，不知怎么把手表掉冰窟窿里去了。那时候一块手表可是多少个月的工资哪！我爸就疯了，一天什么也不干，就蹲在那冰窟窿边上，用鱼钩不停地钓他的手表。钓了一整天，最后居然把那手表给钓出来了。好多人都说：“老高，你太厉害了，这都能钓出来！”不钓不行啊，否则就回不了家了，当时娶媳妇的“硬件”有自行车、手表、缝纫机，这要不钓上来，三分之一就没了。

关于当时手表的值钱程度，我再给大家讲一个真事，可能大家都不信。若你现在正在吃饭，这段可以先跳过去，先别读。说是一个工人，攒了好长时间的钱，买了一块手表。其他的工人就特别羡慕，说你这块手表太好了。他一得意，就说了一句："你要能把我拉的屎吃了，这块表就归你了。"结果真就有一个工人，为了靠这块表能娶上媳妇，真就把那人拉的屎给吃了。结果那人后悔了，太舍不得他这块表了，求人家说："得，我这是说大话了，实在对不起。要不这样吧，你再拉一泡，我把你这泡吃了。"对方当然不同意了，于是俩人就打起来了，最后是告到学校还是学院里来着，反正俩人都挨了处分。大家都说，那哥们也太惨了，不但自己吃了一泡屎，还挨了处分。

还有一件事。有一年冬天，我跟我爸去钓鱼，大概是今天马甸北边祁家豁子这块地方吧。我们俩一人骑一辆自行车，结果我不小心把车钥匙给丢了，怎么也找不到了。按理说你把锁砸了不就行了吗，可我爸舍不得，因为那锁也值好几块钱呢。况且家里还有一把钥匙，砸了的话，这把锁就等于废了。

最后他就提议把车抬回家，因为车锁住了后轱辘，就把后座提起来，绑在另一辆车的后座上，一人推着前边的车，另一人把着后边车的车把。怎么也绑不结实，晃来晃去，俩人轮换着来，最后都累得够呛。就这样，在寒风凛冽里，我们把两辆自行车从祁家豁子抬回了清华园。我还记得我爸一边推着，还一边哼"微风吹动我的船帆"，这是我爸会唱的唯一一首歌。

这事听起来好像特别苦，但其实回忆起来还是挺高兴的。虽然没有钱，但别人家也都没钱啊。那时候大家都穿补丁裤子，我唯一一条没有补丁的裤子只在两个场合穿出来。一是过年的时候，我们家族聚会，要合影照相，当然要穿上。再有就是外宾来访，那时候经常有外国教授来访。我记得有一次，一对美籍华人教授来访问，带着孩子到我们家玩。我赶紧把这条裤子换上了，一穿上它，我走路的感觉都不一样了，我看着那裤线心里特高兴。结果人家美籍华人的孩子，居然拿出一整套儿童玩具来，那玩具就是教人打针的，有塑料小针、塑料听诊器、塑料棉花棍等等，就给我看病。这下给我羡慕的，我说你们居然有这么好的玩具。

我从来没见过这么好的玩具，那时候我们的玩具，甚至游戏规则，都是自己发明的。今天想起来我还觉得神奇的是，那时候我们居然还按季玩，就是这一季大家都玩这个，过一阵子也不知道怎么的大家就玩另外一个了，也不知每次都是谁发起、谁结束。都玩些什么呢？烟盒。可能各地有不一样的玩法，我看外地有在地上拍的，我们北京小孩不这么玩。我们把烟盒叠成长方形，在手背上码一摞，然后扔起来，手在空中一抓。扔之前先说好了一抓之后掉几个，海淀一般是按掉一个来玩。也就是说，如果你一抓，只掉了一个，就是你就赢了，这烟盒就归你了。那么谁先抓呢？比谁的烟盒大。那时候每个烟盒都有价钱。我记得最便宜的大概300万，也不知谁规定的，300万的是没有过滤嘴的，像礼花啊、牡丹啊这样的烟；有过滤嘴的，什么凤凰啊是500万；再大一点的，就是不太常见的，就是800万、1500万。谁来定这些呢？那时候每个院都有一大哥，只要大哥说了这值800万，就没有人去怀疑，因为都相信这大哥。可见那时候的人是多么纯良可爱。

我们的烟盒都从哪儿来的呢？从垃圾堆里捡的。那时我们最愿意去钻的垃圾堆，是军队大院外的垃圾堆。因为部队待遇好啊，抽的烟里有好多800万的烟盒。

记得有一回我正翻垃圾堆，正赶上人家大卡车倒垃圾。我突然捡到一个泰山烟的烟盒，当时那个高兴啊，因为这烟特别少见。那烟盒上还沾着菜汤子呢，我也不在乎，赶紧拿了起来。正高兴呢，结果卡车翻斗从上面倒垃圾，一下子把我给埋里头了。我一边往外爬，一边说："这太珍贵了，可不能丢了。"回到家里还把它洗干净了，贴到玻璃上晾干。最后怀着特别忐忑的心情去找院里的大哥，想问下值多少。大哥看了一眼，"1500 万。"可把我给我高兴的，终于捡了一个 1500 万的。其实那时候最值钱的烟盒还不是我捡的

当年流行的游戏"拍烟盒"

到了 80 年代，买肉还是需要肉票的

儿我不知道，我就说我们院里。我们院过年的时候，是可以不要任何票的，不要肉票，不要粮票，甚至不用交任何钱，就可以到单位食堂里去领两个菜、一斤花生和一斤瓜子。所以就每到过年的时候，每家当儿子的最高兴，因为当儿子的负责去取。

因此，每到过年的时候，我最快乐的一件事就是去食堂。每家可以领一条红烧鱼、一大碗米粉肉。这鱼我是不敢动，大人们喝酒用的，一动就看出来了。米粉肉在端回去的路上就可以先偷吃点。因为偷吃两片看不出来，你想那米粉肉，说是五十片还是四十片，又没有人数过。一开始我就想偷吃一片，结果吃了这一片，受不了了，馋虫被勾上来了，就想，再吃一片估计我爸也看不出来，然后就又吃了一片。一看那碗，都吃两片了，这也不平了啊，干脆，把那半边也吃吃吧，弄平了再到家。最后，到家的时候，上面一层米粉肉都没了。我小时候每年吃最多的，也是后来我痛恨极了的东西，就是大白菜。每年冬天来临之前，九月份开始，大家就排着队去买几百斤大白菜。搬回家以后，有楼道的堆楼道，没楼道的扔外头，家里有院的就挖地窖。有地窖的，下去时可得注意，你想那地窖好几个月不通风，里边没什么氧气，直接下去肯定熏倒，所以得先打开通会风再下去。夏天的时候西红柿最便宜，大概八分钱一斤吧。所以所有的家庭，包括我们家，都从医院拿那个打点滴的玻璃瓶子，把西红柿切碎了塞进去，就往那瓶子里杵，戳烂了以后，杵满一瓶，封好了放在一边。等冬天的时候，除了大白菜，还能吃点西红柿酱。

穷苦年代里心酸的公园恋爱

以上说的都是北京的事，但我童年的一半是在上海度过的呀，所以顺便也说说上海吧。首先，总体来说，我小的时候，上海比北京要苦得多得多。为什么呢？说起来也挺对不起上海人民的，因为那时候中国恨不能一半产值都是上海产生的，但是上海几乎把所有的钱都交到中央去了。中央把大量的钱用来养北京这几百个大院，这些大院里住着各种遗老遗少、各种当官的、各种大教授、各种各样的大院子弟。可以说，大家吃的饭里，有一半是上海人提供的。上海人勒紧裤腰带，供养了北京。

那时候上海人住得特别狭窄，有的夫妻领结婚证十几二十几年了，还没自己的房。两口子没房怎么办？下边是我亲眼见过的。那时候沿着外滩，沿着苏州河，一直到人民公园，都是谈恋爱的。那人多到什么程度，到了晚上，都看不出谁在跟谁谈恋爱，因为所有人全都挤满在那儿。最可怕的不是谈恋爱，而是行房，据说那时候真的有人就在人民公园行房。很多人说不信，这是我在人民公园亲眼目睹过的，而且人家两口子还带着结婚证。警察来了问："你们怎么这样？""我们有结婚证。""上你们家去啊。""没人给我们分房啊。"有那么一段时间，上海曾经组织老工人们，夜里拿着手电，到公园里去查。有的情侣们就使坏，老头们一过来，给人家绊一跟头。其实想想，这些情侣们也挺可怜的。

"文革"中的上海街头

那一代上海人苦啊，可却还特别要面子，北京人也要面子，但要面子的方式不一样。北京人要面子呢，是坐那儿吹，说“我们家祖上怎么怎么着，大王府住着，然后家里厨子好几个”。实在没得吹了，就不吹他们家了，我就听见过一个北京人跟别人吹：“我跟你们说，你们说的都不行，我这都是自己亲历的，不是什么祖上。你们知道金日成的棺材谁做的吗？我做的。”我当时正坐在饭馆里吃炒肝，一听见这个，扑哧一下，我嘴里的炒肝都喷出来了。“金日成的棺材是我做的，你们千万别告诉别人。这是高度机密。”其实这就跟现在北京出租车司机吹的牛一样，能分分钟告诉你“海里昨天聊什么了”“海里昨天弄一决议”“谁谁不行了，危了”。“海里”就是某著名香烟的牌子。

吹牛是北京人要面子的方式，上海人呢？上海人一般都得拿点真东西，这比北京人还实在点。拿什么呢？跟大家讲个有意思的细节。那时候买烟除了钱之外，还得要烟票，那外贸烟又难弄，于是爱抽烟的上海同志们就发挥他们的聪明才智了。每人穿一件的确良衬衫，然后在左胸的口袋里插一盒“健牌”烟，屁股兜里塞一包特便宜的“牡丹”或者“礼花”，没过滤嘴的。在街上见到熟人，先从的确良衬衫里往外掏“健牌”，给人让烟。上海口音里，管抽烟不叫抽烟，叫“吃烟”，“健牌”的发音叫“几爸”。于是上海人让烟时就说：“侬吃几爸，侬吃几爸。”这个健牌香烟还分两种，一种叫短健牌，一种叫长健牌。因此还有“侬吃长几爸”“侬吃短几爸”这样的话，大家都特客气，“我也有几爸”。最后大家让一圈，都说“好，谢谢”“客气，客气”，没有一个人抽别人的烟，都是趁人家不注意的时候，从屁股兜里提溜出一根“牡丹”自己抽。因此这一盒健牌烟能在衬衫口袋里放俩月。这是上海当年特有意思的风气，当然现在上海人不这样了，都富裕了。只要不向北京交那么多钱，上海是世界上发展最快的城市。

上海人还有一个特别好的习惯，就是不占人便宜。上海两家人如果共用一个厨房，就会安俩水龙头、俩水表，也从不借人一勺醋，不借人一勺盐，不像北京人过来就拿别人东西，就跟自个儿的一样。如果共用一个客厅，就是俩灯，各开各的灯，分的非常清楚，从来也开不错。

北京人毛病多了去了，这家只要包饺子，就一定要拿到邻居家去，说“您吃饺子”，感觉他们家特富。北京人还有一个规矩，今天可能没有了，就是这一盘饺子，必须剩一个。为什么呢？老理儿了，是说当长辈的得慈，不能跟小孩抢，所以这最后一个长辈是不下筷了；可是当小辈的还得孝，所以你也不能下筷子，得给长辈留着。这一慈一孝起来，大家每年少吃好几个饺子，因为每盘饺子都剩一个。

除了吃喝，抽烟，也说说住的地方吧。那时候的上海，三代人挤在一间屋的，多的是。北京比上海好一点，一般是一家人挤一间小屋。行就不说了，全国人民都是自行车，而且全国的孩子们都骑爸爸留下来的破二八车。那时候有一种骑车的姿势，可能今天年轻人都没看见过，叫“掏裆式”。因为小孩腿都短，“大二八”你根本骑不上去，只能左腿蹬着左蹬子，右腿从大梁下面钻过去，蹬右蹬子。小孩都用这种姿势骑自行车，后来熟练了，能够一只手替爸爸拿一升啤酒，一只手扶着车把，照样“掏裆式”骑车。后来稍微长高了，差不多能坐上车座了，可脚踩蹬子又够不着底，只能蹬半个圆，这边蹬半个圆，这边再蹬半下。总之，那时候全国人民都是各种高难度的骑自行车。

那时候还没什么私人汽车，干部都是按照级别配车。那时候的干部都特别清廉，反正我外公外婆特别以身作则。我外婆是一级教授，又是妇联常委，全国政协常委，还当过三届全国人大代表，是有配车的资格的。北航本来要给她配车，可她给拒绝了，坚决以身作则，不享受这些特殊的待遇。外婆住在清华，在北航上班，每天坚持坐公共汽车，这在清华传为一段佳话。那个时候有车的官宦人家，虚荣到什么程度？看车前头的牌子，能看出级别来。牌子上如果写着“西南门”，厉害，你们家就是上主席台的，常委什么的，哪怕是主席台后排，也是“西南门”；如果写的是“东门”，你就差一点，因为从东门进的，就是人民大会堂下面那一大片。作为政协常委、妇联

“掏裆式”骑车法

常委，外婆也是能上主席台的，但她坚持坐公共汽车。有一次，她到了人民大会堂，那卫兵问："你干吗的？""我是政协常委，来开会的啊。"卫兵都傻了，问："你的车呢？""小同志，我们得为国家节省点嘛。"给人解释半天，最后给警卫说的好感动，说："好吧，好吧，那您进去吧，但您这包不能进。"因为凡是从西南门进去的，那包都得放车里。主席台上前排后排的都是领导人，万一有人带炸弹怎么办。得遵守规定呀，没办法，只好在后边等，直到来了一个认识的人，把包放人家车里，外婆才进去。外婆就是这样一个人，今天的人听起来可能都不敢相信。

我外公倒还好，车也坐，电话也用，反正国家给配什么就用什么，但是有一点，不许孩子们用。我小时候就是，只能搭车，只能顺道拉我到离目的地最近的地儿，不能为我拐一个弯，否则就叫"侵占国家财产"。所以我也不爱搭车，因为经常被扔在半道上，还得坐公共汽车。甚至连我高考迟到，都没能坐上外公的专车。

我家住清华，高考在师大二附中，高考那天早上我找不着准考证了，最后等找着的时候已经过八点了。当时清华进城只有两辆公共汽车，331 跟 375，而且八点之前十分钟一班，八点以后都半小时一班。大家想啊，高考只要迟到半小时就不让进了。我急得不行，跟全家人说："不行了，要迟到了，过八点了。"没人反应，也没人说"那你用家里车吧。"我都急死了，就跑到 331 车站上拦自行车，拦不认识的人。那时候我也没自行车，我自行车忘了上哪儿去了。我一边拦一边喊："我去高考，要迟到了！"结果北京大妈特热情，一帮大妈帮我拦帮我喊。最后终于有一个中科院的研究员，清华对面不就是中科院嘛，说："那你骑我车去吧。我就住对面中科院几号楼几几几，你下午考完试，给我还回来就行。”于是我拼了命一样骑，最后大概迟到20多分钟。长大以后，我在清华又陪了外公很多年。那时我舅舅我妈他们全都在国外，所以有时候要打电话。每个月月底，外公都会让秘书拿一个账单过来，说：“这几个电话号码是不是你打的？”我说是。“你打的就得交钱。国家配电话是为我工作用的，不是工作的电话都得自己交钱。咱不能占国家一分钱便宜。”

衣食住行基本上就说完了，最后说一个话题——“性”。食色性也，口述历史嘛，这也没什么可回避的。那个年代的“性”之禁锢，之不能提，到什么程度，我要跟大家回忆一下。

别的地方我不敢说，只敢说北京和上海，因为我在这俩地儿度过了童

80年代的北京街头

年。我的童年几乎没有任何的性启蒙，那会儿大家都以丑为荣，都穿的破衣拉撒，臃肿得要死。我小时候唯一的关于女性身体的启蒙，来自于希腊神话和安徒生童话。因为里边有那种钢笔速写的插画，还有一些半裸的雕塑图片，这样就已经让我们激动得不行了。不光是我，我们好多同学都是，就是在枕头底下或床底下藏一本希腊神话，夜里偷偷拿出来看会儿。那时候我最喜欢的一个插画是《海的女儿》，海的女儿下半身是鱼还是什么来着，记不清了，就只记得上半身，因为上半身是裸的，基本上就这一点启蒙。

后来有所进步，因为我爸妈经常出国，所以家里会有一些国外的录像带。大概是在 1981 年，我爸寄回来一些录像带，里边居然有一盘是关于美国小姐选美的。于是那之后我们家就疯了一样，门庭若市，不管是同学，还是院里的，都挤在我们家。轮流一天放五场，那会儿要能收票的话我就发了。看前面时，大家都嘻嘻哈哈无所谓，到泳装环节的时候，全场鸦雀无声，没有一个人敢说第一句话。现在想想，那个时代还是太严肃了，里边的泳装还是连体式，不是比基尼呢。后来那盘磁带由于播放太多，都成黑白的了，到泳装环节那段，都快成雪花了，影影绰绰完全看不清了。

每年五月份，是北京小伙子们最幸福的时候。“五一”一过，北京的少女们、大姑娘们，全都穿出了白色的确良的衣服。大家知道，的确良是透明的，有时候能看见里面。所以“五一”过后，一看到满街的确良，小伙子们浑身都麻了。见人就看，只敢看背后，正面还不敢看。唯一敢看的时候是买西瓜的时候，这是怎么回事呢?

那时候卖西瓜都是在把西瓜堆在路边卖，然后弄一棚子，不像现在还有什么超市。挑西瓜的总有姑娘吧，她挑西瓜总得哈腰吧，这的确良的料子比较硬，不是很贴身，所以只要一哈腰，就能露出一点腰来。当时我们这些小伙子们，都觉得这是最美妙的时刻，所以都蹲在西瓜摊边上等着，等有小姑娘来买西瓜。等人家一哈腰，所有小伙子就都往前挤。我还见过因为这个打架的，因为没挤到好位置，没看见，然后就骂别人流氓，就打起来了。现在想想其实也很乏味，因为那时候女孩们穿的全都是那种特别规矩的、工字型的白色内衣。

还有一次，我去积水潭附近的游泳池游泳，看到一对青年男女，一边哭，一边杵在那儿撅着。我问边上人："这干吗呢？"说是这俩人在水里亲嘴，被发现了，被当作耍流氓，让这样撅着，还必须让单位来接。这要让单位知道了就完了，因为那个时候只要是什么作风问题，你在单位里就别混了，千夫所指，"破鞋"什么的，能把你说死。所以俩人就在那儿哭。亲个嘴就成这样了，可见那时候社会环境严酷之极。

我就是在这种教育环境下长大的，以至于我一直都不知道自己是从哪儿来的。

我是真的不知道，因为谁也没跟我讲过。第一次跟我讲的人呢，是在四中上学时我们班的团委书记。那时候我们住校，有一天他特别激动，钻到我的被窝里来。"我跟你说个事，你知道那个……"我听完都傻了，我说你怎么懂那么多？

由于我们是被希腊神话的雕像性启蒙的，所以在我所有的春梦里，女生下半身都是穿着白裙，上半身都像希腊神话一样半裸的，或者像安徒生童话的钢笔速写一样。直到我上高中，才有各种各样的西方精神污染进来，才逐渐地知道了性是怎么回事。

和所有大院长大的孩子一样，我对自己成长的清华大院以及石油部大院是充满了感情的。因此到今天最伤感的是什么呢？就是这两个院里的房子，现在都空了，没人住了。小时候我们家在清华的房子，外公外婆都不在之后，就还给学校了。那时候学校改革，教授、院士的房子，好像还可以自己出点钱买下来，唯独那种所谓的“校长楼”，就是领导的房子，是一定要交还给学校的。

现在有时候我还会回清华，去看看我们家当年那个小院。不知道为什么，收回去也没有人住，开始说当个什么研究所，后来又没用上。我去了只看见一个牌子，没有任何人在里面上班，院里长满了野草，落叶遍地，有点凄凉。唯独看见那棵玉兰树还在，是我外婆去世那天，外公带着全家去买回来种下的。每年春天玉兰花开的时候，外公就带着我们全家，在树底下数玉兰花有多少朵，以此来纪念我外婆。我还记得第一年大概只有九朵，因为那时还是很小的一棵树苗。后来数了很多年，一直数到我外公去世，都有几百朵了。

外公外婆之间的感情，是我们这代人不能比的。他们在战乱的年代颠沛流离，互相扶持，后来又一起去下放、养猪，一辈子相濡以沫，怀念起来是让人非常动容的。记得我外婆去世以后，有一天外公跟我说：“你能去买一副麻将吗？”我很惊讶，因为我们家人没人打麻将。当初外婆的妈妈爱打麻将，因此外婆痛恨打麻将，在她活着的年月里，我们家人也就不沾麻将。

外公小时候也是官宦子弟，也是大院子里打着麻将长大的，为了跟外婆的关系，他已经几十年没打过麻将了。所以这天他就让我去买副麻将，我把麻将买回来以后，他就高兴地说："来，我来教你们打麻将。"其实我们都会打，只是没在家里打过，都在外边打。看外公兴致很高，我们就都假意说不会打，他说："好，我教你们……看，这个应该这么抓……那个应该那么拿……"说着说着，他自己也忘了，停下来回想着说："怎么打来着……"他大概50多年没摸过麻将了，他现在能想起来的打法，还是20世纪20时代老北京的打法。虽然这样，我们心里还是很感动。如今我们全家人都漂流在世界各地，有时候想想，对外人说我们是北京人，但在北京连个根都没有，还挺伤感的。所以我会偶尔回去看看那棵玉兰，以此来纪念那些难忘的岁月。

一个普通人的口述历史，到今天就说完了。以后除了跟大家聊大历史、聊些好玩的事之外，我还是想尽量多地聊聊我亲身经历过的事，或者我接触过的人的口述的历史，以此来追忆我们这个老国家的百年成长史。

问答

Q1：今年的奥斯卡颁奖季，高老师关注没？说说您最喜欢哪部呗？

A1：这个，说来可笑，我最喜欢的是短片单元里的一部，是一部没有得奖的荷兰动画片，叫 A Single Life，只有两分钟长，但是看得我热泪盈眶。大家可以找出来看看，会不会英文都没关系，因为压根就没说话。这个 single 的意思，正常的情况下，你理解为单、单数、单身都可以，但在这个短片里，single 要当单曲讲，A Single Life 翻译成中文，应该是叫作“一曲人生”吧。当然了，今年短片单元的提名片，都很好看，其他几个动画片也都非常有意思，有的是文学造诣非常高，有的是画得太好了，大家可以多看看。

至于长片，我觉得今年应该叫“灾年”，连“小年”都算不上，相当于颗粒无收。且不说伟大电影吧，就三五年之后大家还能想起来的片子，都很少。今年获奖的长片，基本上都是大片厂的独立部门做的半独立电影，都没什么意思。真正的独立电影，比如纽约学派拍出来的，都是挺有意思的。奥斯卡奖毕竟是一个行业奖、工会奖，奖当然要颁给大片厂的片子。那它怎么不颁给大片厂的大片子而是半独立电影呢？

我觉得吧：一来，大片厂的大片子一般都烂得要死。二来，颁奖委员会经过仔细计算发现，大片子得了奖以后，票房也就涨个 5%、10% 的样子，所以颁给它也没什么意义，倒还不如给那些中等的电影。因为中等电影要是获了奖，票房能一下翻10倍。所以这样看来，奥斯卡这种行业奖的设置，其实对电影行业还是有巨大的推动作用的。在没有好电影的情况下，让这些半独立的电影获奖，能让这些电影票房一下翻10倍，这是第一。第二，也能起到鼓励作用，超级电影的成本现在是越来越高，如果在大家都做超级电影的同时，还能搞一些稍微半独立的东西，搞点创作，对整个电影行业的创新和发展，还是很有意义的。所以就把奖都颁给了这些大片厂的半独立电影。

但是说实在的，这几部获奖的半独立电影，从创作上来讲，完全是形而上学的，完全是以一个形式感的逻辑创作出来的电影，而不是以人物啊、内心啊这些东西来创作的。尤其是得了一堆奖的这个Birdman,《鸟人》，完全就是炫技先行。导演想得很好，说我要一镜到底，于是费了老大劲，这么长一电影，真的就是一个镜头从头拍到尾。说实在的，这电影我看着都觉得累，还有那穿帮有点太厉害了吧。其实稍微懂摄影的人都知道，若碰到有一格画面，里边没有人，是纯的物体，你可以在这儿停机嘛，等其他人都摆好了再拍。

所以你这所谓的一镜到底，其实也不是什么真正的追求，这种东西早就有了，都是人家玩剩下的，很多年前俄国就有部电影，就是这样的一镜到底，场景设置基本没什么选择，就是舞台后台，后台舞台，一会开场，一会封闭，人从亮的地方到暗的地方，基本上就是这样。人家早拍过了，所以我没觉得一镜到底有什么大不了的，有什么稀奇的。而且为了追求一镜到底，你牺牲了太多电影应该有的追求，比如说表演，因为一镜到底不能换镜头，这就导致全片没有一个特写，演员演到最激烈的时候，也只是有一个近景机位而已，没有大特写，这对表演的伤害特别大。再有就是，因为一镜到底必须是单机拍，必须永远在顶角机位拍，演员在这种机位情况下，势必都要争夺正脸。这看得把我给笑死了，因为老想着看哪个大演员先抢正脸，只要一个演员一抢正脸，另外一个演员就只好被迫转身。真正的表演不能这样，这不叫飙戏，这叫飙正脸，飙光，看光在哪儿，演员都往光那儿凑。一镜到底还牺牲了很多电影节奏，电影节奏本来应该张弛有序，有时候大开，有时候很细，你一镜到底，导致节奏不变，一直都保持一个速度。

所以我看了半天，觉得这些获奖的长片，都是以导演创作的形而上在前或者叫技术在前，去想出来的电影，真是乏善可陈，没什么特别要说的。大家看片场的名字就知道，这些得奖的，一是来自于20世纪福克斯的Searchlight，Searchlight就是20世纪福克斯下面的独立电影厂牌。另外一个是Sony Classics，索尼经典，是索尼旗下的独立电影部门，而且它还不在好莱坞，在纽约。这些实际上都是各个大片厂下面的独立电影小厂牌，所以叫“半吊子独立电影”，既要有大片厂的支持，要赚钱，同时又得自我标榜是独立电影。基本上每个大片厂下面都有这么一个部门，有的是收购的，有的是自建的。所以大家可以看得奖的都来自哪个公司，一看你就能明白，哦，原来还是这帮大公司操弄的。

既然这帮大公司今年都拿这些独立电影来拼，那么希望明年是个大年吧。此外，我有个感觉，今年短片单元的质量都特别高。说明什么呢？说明大师呼之欲出啊！虽然今天他们还都是年轻的导演，但是他们拍出来的短片极为有质量。所以我相信明天的大师，肯定出自今天短片单元的这些年轻导演，我对明天还是充满了希望的。

致白衣飘飘的年代

就算我们是国家的一颗螺丝钉，我们就没有权利歌唱自己吗？我们就不能歌唱自己小小的爱与仇吗？不能歌唱自己的青春跟成长吗？难道非得去歌唱社会或者是批判社会吗？》

校园民谣的由来

今天想说一个跟我自个儿有关的事。什么事呢？今年不是校园民谣运动20周年嘛，校园民谣运动里边有一位主将，或者叫旗手，这人就是鄙人。所以今天很高兴能说点当年我搞音乐时的事儿。

首先呢，我想先厘清一下“校园民谣”这个概念。好多人都问，说这校园民谣后来怎么就没了呢？我跟你说，我从来就不知道“校园民谣”是什么东西，这纯粹是一帮人给我们脑袋上扣的一顶帽子。如果你非要让我说校园民谣是什么，那它肯定不是个音乐流派，所以到今天你也没法说谁唱的是校园民谣，谁唱的不是校园民谣。

在我看来，校园民谣其实就是一个特别成功的营销案例。什么样的营销案例呢？就是一个唱片公司，专门把大学里那种风花雪月的歌，我们当年都叫“骚柔”，就是又骚又柔的歌，全给挑出来了，做了一系列的唱片，然后给这些唱片命名叫“校园民谣”。所以说实际上校园民谣是一个商标，它不是个音乐类型，它不像摇滚乐、爵士乐那样永远都有，现在那唱片公司都几乎不存在了，所以它这个商标当然就没必要再做下去了。

第二，我想解释一下校园民谣为什么当年那么火。这是因为吧，校园民谣出现之前，人们主要还是在听港台歌，真正内地原创的音乐还没有成为主流，像一些摇滚乐、地下音乐或者西北风歌曲，这些听起来都像是少数民族音乐一样。所以这时候校园民谣甫一出来，立刻成为了中国内地第一代流行音乐。

以前内地没什么唱片公司，也没什么流行音乐奖，只有文工团、电视台这俩东西，当时来北漂的歌手，长得好看的姑娘都上中央电视台墙外头排队去，因为要想在北京当歌星，不知道除了靠中央电视台的包装，还能有什么别的路，所以都上中央电视台门口排队去。那时在中央电视台当一个音乐编辑，可真是牛极了。你要在中央电视台干吗，出门一看，一大片漂亮姑娘，随便捡一个，说跟我走吧，基本上就是这种。男的呢？男的没办法上中央电视台排队去，怎么办？那就去考文工团，考上之后就是一天到晚练功、劈叉什么的。

所以内地一直没有什么商业运营的流行音乐，直到1992年，才开始有了两家唱片公司。一家叫正大，一家叫大地，这两家好像今天还有吧，我已经很久没关心过北京的这些同行们了。1993年才开始有了第一批签约歌手。当

1994 年，大地唱片推出的《校园民谣 1》获得了空前的成功

时大家都觉得好神奇，说这算个体户呀。

1994 年，大地唱片推出了校园民谣等一系列唱片，然后一下子涌现了一大批优秀的本土原创音乐，导致 1995 年突然间冒出了一大堆音乐奖。我记得特清楚，当时我们到上海是去领一个好像是叫东方风云榜的奖吧。因为当时还没有流行音乐圈，只有晚会圈。我们这些人都还有点傲，就觉得自己跟晚会圈的那些人不一样，我们是做摇滚乐、做民谣的，我们才是正经的流行音乐。所以中国真正的流行音乐圈，实际上是在上海成立的，这跟我们党有点

像，党是在上海召开的一大嘛。

当时我们大家都站在台上，谁也不认识谁，就这么领完了奖。当时领奖的有我、那英、郑钧、罗琦、林依轮等等，我们这些歌手都是这年涌现的。我记得特清楚，大家领完奖以后，在那儿坐了一大桌吃饭，因为谁都不认识谁，大家就都沉默着，显得特尴尬。那英是东北姑娘，脾气比较爆，吃着吃着就把筷子一放，说："这样真没劲，大家怎么都不说话啊？这样吧，咱们大家互相认识一下。"那英就噌的站起来了，说："我先自我介绍一下，我是中港台著名歌手——那英！"

大家就鼓掌，我坐那英旁边，于是我站起来说："我是中港台著名词曲作家——高晓松！"大家接着鼓掌。我对郑钧印象最深刻，因为我特别喜欢他的嗓音，我说你写得真好，我俩互道仰慕。我旁边是何勇，特有意思，拎一鸟笼子，最后站起来说："我是何勇。"最后大家都介绍完了，那英就说："今天我宣布，中华人民共和国流行音乐圈正式成立了！"所以说中国内地的流行音乐圈是在上海的一个饭桌上成立的。

现在想起来，心情还是有些激动。那时候大家都是怀着对音乐的无比热爱和信仰投入到这行业来的，那时候不像今天说能挣 80 万、60 万，那时候大家都不挣什么钱，但大家的想法都特别干净纯粹。那时候的流行音乐圈都特别团结，团结到什么程度？哪家公司新来一个歌手，大家都拥过去帮着助威。

现在我还记得许巍第一次来北京录音的情景。地安门后边，鼓楼附近有条小胡同，那有个录音棚，许巍就在那儿录音。那几天圈子里都说，说某某公司签了一歌手，叫许巍，咱们都去看看吧。那天许巍带了两首歌来录音，一首

《两天》，一首《执着》。听完了，所有人都惊了，说这太厉害了，太牛逼了。

还有张楚，张楚是从西安来的，那时候不知道为什么，在我们的印象里，西安有点革命圣地的感觉。所以大家都纷纷说西安来了一个大天才，叫张楚，都想去看看什么样的，于是就到处找张楚。张楚先是住在清华，清华的学生们养着，后来又住到中戏，中戏的师生们养着。为什么那个时代能产生那么多校园歌手和诗人呢？就因为那氛围，那时候大学都有养艺术家的传统，好多艺术家就住在大学里。我也是听说来了一叫张楚的天才，就到处找，想找他切磋切磋，碴碴琴。

结果有一天，好像是在宽街路边，我正走着呢，一哥们儿突然指着前边那人说："这人不张楚吗？"我一看，还真是，赶紧一路小跑过去，说："张楚，快快，找你很久了，快回屋，咱俩碴碴琴。"可见那个时代的人，心理都

张楚

特别简单。张楚说好，然后大家就回到中戏他住的屋里，一块弹琴。那天听他唱了两首歌，一首叫《西出阳关》，一首叫《姐姐》。《西出阳关》可能很多人都没听过，一定要找来听听，写得极好。“我不敢回头望那城市的灯光，一个人走，有点太慌张……”20年过去了，我依然还记得那歌词。

现在回想起来，那时整个音乐圈都充满了一种朝气蓬勃。应该说，我投身这个行业20年以来，觉得最美好的两三年就是1994年、1995年和1996年。那个时候乐坛还分了北京乐坛和岭南乐坛。当时岭南乐坛极强大，有毛宁，有杨钰莹，有陈明，有林依伦，有高林生，幕后的大腕有陈小奇，就是写《涛声依旧》的，有谢成强，就是写《信天游》的，还有张全复、毕晓世等一大票人。每次颁奖都叫“南北大斗酒”，就是北京这边坐一排，岭南乐坛坐一排，大家斗酒。当然后来还有台湾乐坛、香港乐坛。总之那个时候乐坛繁荣极了。

碴琴的闪亮日子

可能是由于校园民谣当时过于火爆，所以很多人就会有这么一印象，说八十年代的大学里头，难道你们都不干别的事儿，天天都是“以泪洗面”吗？其实真不是，只不过是因为唱片公司挑出来了那些歌，全是《同桌的你》《睡在上铺的兄弟》这种调调的。

在这里跟大家描述一下八十年代大学啥样的。简单来说，就是彪悍、勇敢、单纯、温暖。在我印象里，那个年代特别美好，叫“白衣飘飘的年代”，女生都不贪财，男生都不怕死。女生不贪财确实是真的，给大家讲一个例子。

我们清华有一个长得还可以的女生，交了一个特有钱的男朋友。男朋友有自己的车，可这女生为此觉得特丢人，搁今天大家可能都觉得不可思议。每次男朋友送她回来，一定要到五道口就下车，然后她再坐一站375回来。要是让车给送回学校来，不但她自己觉得丢人，其他人也都得这么看她，而且男生们都得炸了，男生们就得把那车给砸了。

那个时代的有钱人也不觉得自己有多光荣，那个年代公认的社会栋梁、天之骄子，是象牙塔里的大学生们。因为那时候大学还是很少的，大学生数量也少，一个大学生毕业了分到一工厂里，他就没名字了，厂里一万多人只管他叫大学生，一聊起都说咱那大学生怎么怎么着。这就导致那个年代的大学生都觉得自己是精英，觉得外面那些有钱的，都是卖羊肉串的，都是挖煤的，都不行，会有这种感觉。

女生也一样，会觉得在外边找一个有车的特丢人，相反，找一个校队的主力球员特光荣；找一个琴弹得特别好的，那更光荣；这两样都找不着，至少也得找一个敢打架的，说我这男朋友敢打架，谁都不敢惹她。踢球、打架、弹琴，这三样，是当时女生最喜欢的。当时大学里的风气是，女生喜欢什么，男生就玩命干什么，所以当时男生们就玩命练这三样。

可是在清华里练踢球，那太难了，你想啊，两万学生，球得踢得多好，才能踢到校队去？打架呢，也不容易，在一个一万八千男生的学校里，你要靠打架打出名，你得受多少次伤，你不得打成脑震荡、脑浆子打出来了，才

80 年代的大学宿舍

能出名？所以对大多数男生来说，最容易的方式就是弹琴。所以当时清华就出现了一景，每天一熄灯，水房里就坐一圈男生，因为只有水房的灯还亮着。

大家一人抱一把吉他，以清华理工男那种钻研认真的劲儿跟那儿练，这边练的还是最初级的《爱的罗曼史》，对面那哥们儿已经弹到《魔笛》了。时间长了，清华学生弹琴的水平之高，达到了去各校碴琴几乎没对手的程度。“碴琴”这个词现在已经没了，现在大家都比车、比房子、比爹，你说出去跟人比琴，人家可能会说“你有病吧”。那年代最光荣的就是碴琴，什么叫碴琴？就是到一学校里，说：“把你们学校那琴弹得最好的叫出来，咱比试比试。”一般来说，对方也会积极应战。最后琴弹得不好的那位，通常就得把琴砸了。那时候一把琴五十多块钱呢，赶上一个月的生活费了。当然也有弹到惺惺相惜的时候，就会说：“咱俩谁也别砸了，咱俩组一乐队吧。”很多乐队就是这样组起来的。

说到这儿了，我一定要说下我们隔壁，也是一著名的学府，叫北大。那时候我们俩学校互相不服了很多年呢。大家想一下，今天在流行音乐圈里，清华出身有多少？我、宋柯、李健、水木年华……一大票人呢，而且大部分都是我们无线电系的，现在叫电子工程系。有一年我看见学弟学妹们出去招生，那宣传语把我给乐坏了，那上面写着：“读清华大学电子工程系，你有可能成为中国流行音乐界的重要人物。”你看，清华一个系就出了一大堆人，再看我们这隔壁，出过流行音乐或者这方面的重要人物没？不服都不行。

别的不说，拿属于文科的歌词来说，我们的歌词都比北大写得好。这原因说起来也特简单，就是学校女生的比例直接影响着男生的琴技。女生比例高的地方，像北大，男生不用弹那么好，都有那么多女生去捧，这哥们儿刚弹了一首《爱的罗曼史》，刚弹了四个小节，女生就已经不行了，眼泪汪汪都扑上去了。你说那男生还用练琴吗？把琴一扔，不抱琴了，把人家姑娘一抱不就完了吗？所以我们每次去北大碴琴，北大都无人敢应战，都说：“没有，你们弹吧，我们跟你们一块唱吧。”

唱歌北大也不能跟清华比，差了很多，我突然想起来北大近年出来一个邵夷贝，但这已经比我们晚了很多年，差了好多代了。我们那个时代，北大只能跟着我们混。怎么混？就是清华这边唱“我独自走在你身旁，并没有话要对你讲”，北大就在旁边跟一句“对你讲”，就跟三句半似的。

女生再多点的学校，连《爱的罗曼史》都不用弹了，像中戏的男生，还练什么琴啊？什么都不用练，拿嘴就行了。当然中戏也曾出过一乐队，我们还跑去跟人家碴过琴。我要说下这乐队四位成员的名字，估计至少有两三位现在都是声名赫赫的。其中有著名的第六代导演、拍过《爱情麻辣烫》《洗澡》的张扬导演，有北京乐坛著名的大 DJ、大乐评人张有待，还有一位也是拍过几个电影的著名导演施润玖。

我们去碴琴，这几位就来了，当时特别逗，我们问其中一个：“你是干吗的？”“我弹吉他。”“你呢？”“贝司。”“你呢？”“鼓。”“你呢？”“键盘。”好嘛，四大件都分好了，“那咱们就玩玩吧。”结果人家来了一句：“我们还没学呢。”我们一听都傻了，说：“什么？还没学呢？你们就分好了？”可见在中戏你只要直接说“我们有一乐队”，这女生就已经扑上来了，连琴都不用学了。

就因为男女比例的问题，清华大学男生的琴弹得最好，歌唱得也最好，其中有一位，在学校最声名赫赫，女生人人敬仰。是谁呢？当然不是我。我刚到清华，就到草地上弹琴去了，去招蜂引蝶了。正弹着呢，没招来女生，倒招来一男生，跟我搭话：“弹着呢？”我说：“是啊。”“你认识宋柯吗？”我说我不认识。“你不认识宋柯，还敢在这儿弹琴？”我心说，看来这宋柯在这学校太牛了，得认识一下。我赶紧问：“宋柯是干吗的？”问了后我才知道，原来这宋柯是环境系的，比我大五级呢，我入校的时候他其实已经毕业了。但这大师兄估计女朋友太多了，几乎每个年级都有他女朋友，所以他就一直在学校住着没走，名气也就越来越大。

当然现在宋柯我们俩是搭档了，都是恒大音乐的董事，他是总经理，我是音乐总监。虽然我们搭档二十年了，但现在我对他都还有那种崇敬之情，这都是在学校那会儿养成的。

我现在还记得第一次见到宋柯的情景。那次我听说宋柯在校南门一个涮肉馆里跟人吃饭呢，把我给激动的，颠颠儿跑去了。那会儿要是谁能被宋柯邀请去吃一顿饭，这哥们儿在学校里就倍儿有面子。可惜那次宋柯邀请的不是我，我只能隔着饭馆的玻璃偷偷往里看，就见一哥们儿长得比我还难看，在那儿觥筹交错，完全就是一大哥范儿。

这就是宋柯啊！我终于见到宋柯了！我都激动坏了。要知道，在这之前宋柯给我的压力太大了，他不光是弹琴唱歌好，还是清华足球队校队的主力后卫。你想啊，这踢球、弹琴他都占了，打架还用说吗？宋柯身边永远都前呼后拥着一帮体育生，那时候清华有一帮特招的体育生，都以围着宋柯为荣，所以遇上打架，宋柯只需要说一句“给我打”，就够了。这三样他都占全了，你说他得有多少女朋友？后来有一次他喝多了，给我交代了，说在学校这五年，他大概得谈了有 40 回恋爱，把我给气的。

我曾经好不容易看上过一个 87 级的女生，就到人家宿舍给人弹琴去了（1989 年以前，北京的大学女生宿舍，男生还是让进的），给人弹了半天，然后说咱俩出去散散步溜达溜达吧，就想追人家了。结果人家来了一句：“我有男朋友了，我男朋友叫宋柯。”我赶紧灰溜溜地走了。后来我又看上一个 89 级的，就比我还小一届，又给人弹琴唱歌去了，结果最后人又说：“对不起，

2015 年，和高晓松在阿里音乐再次成为同事的宋柯

我有男朋友，我男朋友叫宋柯。”

你说我在清华这几年，一次恋爱也没谈成功过，就是因为我看上的女生都被宋柯同志霸占了，这不整个一南霸天、黄世仁嘛！最后我没办法，只好骑车去那种女多男少，男生弹琴特别臭的学校去寻摸，什么北外啊，电影学院啊，中戏啊，只能去这些学校乱窜。

宋柯同志组建的一个“五人演唱组”，还上过中央电视台。在那节目里，宋柯同志站中间，特别酷的样子。其实宋柯的琴弹得很一般，但他特别会耍范儿，他的琴背带都比别人的长，别人的琴都抱在胸前弹，他的琴却挂到了大腿那儿，一副吊儿郎当的样子。宋柯的五人组不但进了中央电视台，而且还把自己的作品《一走了之》卖给了著名歌手孙国庆，这在当时可让我们崇拜得不行。

后来我就发誓说，我一定要超过宋柯。怎么办呢？就想从各校找人，组一个摇滚乐队，觉得要比单纯从清华里找人组一个好。于是我就开始在各校奔波，到处跟人碴琴，跟这人说咱组一个乐队吧，跟那人说咱组一个乐队吧，最后还真组成了，叫“青铜器”。在我国的摇滚乐历史上，还是小有名气的。

这乐队特别逗，逗在哪儿呢？我们的乐器都是自带的，于是这贫富差距就体现出来了。我们那贝司手是靠捡破烂、卖废铁卖了一百块钱才买了一个贝司，那贝司除了他谁都弹不了，因为那弦太粗，根本按不下去，有一支箭的话，那贝司能当弓使。我们那键盘手，因为爸爸是铁路文工团的什么领导，于是花三万块钱给买了一个键盘，要知道那个年代的大学生每月的生活费也就四十到六十。于是我们排练的时候声音倍儿怪，这贝司一百块钱，声音跟劈柴似的，那键盘声音特别好，三万块钱呢。

乐器里面我是提供最多的，因为我们家家境尚可。我就跟我妈说：“你帮我买点乐器吧。”我妈开始还不愿意，说：“你这个就纯属胡闹，就别弄了。你就念念书、写写诗。我从小教你乐器，不是为了让你最后沉迷于这个，而是为了让你以后是个有点教养、有点修养的人。”我还是坚持要弄，最后我妈说：“那我跟你打一个赌吧，你要能靠这琴自己生存一个礼拜，你要什么乐器我就给你买什么乐器。”我说：“行，我今儿就跟你拼了。我就要靠这琴生活一礼拜。”

于是我妈就把我送到了北京火车站，把我全身搜了一遍，一分钱都没给我留。当然了，好歹是亲生的，还给了我一德国睡袋，说：“我估计吧，就你这点本事。还真不一定能找着地儿住，没准得睡大街，所以拿一睡袋吧。”我妈还算疼我，没给我送厦门去，给我送天津去了，最后就是爬还能爬回来。当时我就下定决心，一定要靠自己的本事生存一个礼拜。

我去的时候是五月份。第一天，我说在路边弹会儿琴、唱会儿歌吧，还能要点饭。于是就弄了一纸盒，写上我怎么怎么卖唱。结果在路边还没弹几下，下雨了，把我给气的。所有人都来去匆匆的，根本没人理我。我还坚持弹，过了半天终于有人扔了点钱，数了数，一毛八。那会儿虽然物价便宜，可这一毛八有点太少了，我就继续弹。

也是没经验，刚唱了一小时，我这破嗓子就哑了，最后只好光弹琴。终于，来了一哥们儿，说：“听你这口音，你北京人吧？”我说：“对，对。”“我也是北京人。咱北京人得照顾北京人，我看你挺不容易的。”把他身上的零钱都掏出来了，扔到我那个纸盒里。我一数，正好，他给了三毛二，现在一共有了五毛钱，这就是我第一天的收获。

到了晚上，我的心里开始做人生一次重大的斗争，这五毛钱到底是买两包方便面呢，还是买一盒恒大烟呢？当时方便面两毛五一包，天津著名的烟叫作恒大烟，一盒四毛七。最后我决定不吃饭了，买盒烟吧。然后就剩三分钱了，说今晚睡哪儿去呢？想来想去，睡火车站去吧。到了火车站，看地上睡了一帮人，我还问人家，说你们这都是干吗的？我心里想的是明天就不弹琴了，因为嗓子也哑了，跟别人干点什么别的活儿挣点钱也行。人家说我们捆稻草的，就是火车上那稻草，一百斤一捆，拿大铁丝给勒上。我看了下我的手，这细皮嫩肉的，算了吧。

我这人吧，因为从小家境还不错，所以没有任何警惕性，对谁都特好。跟人家还聊上了，最后我就把睡袋打开了，说："要不咱就一块睡吧，这地上挺凉的。"结果倒好，睡到半夜，人给我挤一边，我睡到水泥地上去了，倍儿凉。我就推他，可他怎么也不醒，人家可是有经验的。我只好在水泥地上枕着我的琴捱着，到半夜突然脑袋撞地上了。我坐起来一看，一帮光着膀子文着身的"楞子"（天津管做事蛮不讲理的人就叫"楞子"）把我琴拿走了。我赶紧跑上去："大哥，这是我吃饭的家伙。你把这给我拿走了，我明儿就饿死了，身上就三分钱了。"大哥说："没想拿你钱。你会弹吗？""会。""你给我们弹两首听听。"于是我唱了一首《我祈祷》，还有一首什么我忘了，那"楞子"挺高兴，说："行吧，你接着睡去吧。"

第二天我一想，不能再在火车站这些地方了，这些地方人的素质都不够高啊，我得去一个高素质人多的地方，那里肯定会给我很多钱。于是我打算去南开、天津大学，到了那儿才发现这俩学校挨着，比北大清华挨得还近，几乎就没有墙，从南开走着走着就到天大了。我觉得跟本科生相比，研究生肯定是有收入的，所以就到研究生楼底下去弹琴唱歌了。结果到那儿刚弹两下，就被天大研究生给举报了，说校内有盲流。没承想研究生素质过于高了，高到警惕性也很高，我就被校卫队给抓走了。

当时我穿的是那种有好多洞的牛仔裤，人家还问我："你是怎么回事？你怎么能穿这样的破裤子来天津大学？你这是侮辱我们社会主义祖国你知不知道？"我说："我怎么侮辱社会主义了？你没看过一个电影叫什么，还有一家子穿一条裤子的呢。"我还跟人贫，跟人瞎聊，人家说："你甭聊了。你这琴没收了。你这个得好好审查一下。"我赶忙说："别，别没收，这是我吃饭的家伙。”“这没有你说话的份儿，你就给我在这儿待着吧。”我平时不太爱说我是清华的，更不爱说家里是干吗的，到现在实在没办法了，只好说：“其实我也是一大学生，我是清华的学生。”“呸，放屁。就看你穿这破裤子，还清华学生？”“真的，我真是清华的学生，我是清华无线电系 88 级三班的。我们家是谁谁谁。”“真的吗？”看来中国人还是比较在乎这个的，说：“你等着，我打电话问问去。”一会儿回来了，说：“没看出来啊，你还真是那谁谁谁家的孩子。你等着吧，清华派人来接你了。”我就特高兴，在那儿等着，最后我表哥接我来了。

这赌我就输了，说好是一礼拜，结果两天就被接回家去了。我们家的教育还是挺人性化的，我回到家，谁都没提这事，没一个人讽刺我。一直到现在了，我都 40 多岁了，我们家人也没有谁跟我提过这件事。我一回到家，大家就跟什么事都没发生一样，摆了一桌子菜，说赶紧吃吧。让我感动的是，我妈最后还是给我买了一套乐器。

所以我就有了一套鼓，一把电吉他，我又找了一个鼓手，我自己弹吉他。“青铜器”乐队就这样组起来了。还缺一个音箱，我们就用一个什么红灯牌的电子管收音机，改装了一个音箱。可这破音箱的声音太失真，弄得我们只能弹摇滚乐，别的弹不了，恨不能练着练着中央人民广播电台的声音就起来了。我们犯难了，这可怎么办，没音箱也不行啊。

到这里我又该感慨那时的女生有多好了，那时候的好女生们，不但不贪财，而且还倒贴男生。我们这个乐队的几个男生，那会儿身边不是有女朋友了，就是有粉丝了，那会儿叫“知音”。平时给你做饭给你送饭票等等，反正你是玩乐队的，就有一帮女生养着你。我们的吉他手是北邮的，他女朋友全宿舍六个人，居然凑出来 400 块钱，赞助我们去买音箱。这太让我们感动了。

我们就拿这 400 块钱，到西单买了一个正儿八经的音箱。想想这都是人家女生的饭钱啊，我们也不敢打车，也不敢雇任何运输工具，怎么办呢？我们的吉他手就推着一辆自行车，我在旁边扶着，就从西单往清华大学走。走在路上，我心里特别美，就觉得自己是摇滚青年了，自己白衣飘飘了，自己牛逼死了。

推了一会就累了，你想啊，平时我们都挤在宿舍里不动弹，从西单走回清华，光走路就够呛，更别说这还推着一个 100 多斤的音箱了。我们俩只好轮换着推车，一会我推他扶，一会他推我扶，到五道口的时候，都夜里三点了，我实在是累得不行了，推着车就走神了，车子一歪，这音响掉下去了！太叫人感动了，我们那吉他手，为了保护这个音响，为了保护他女友全宿舍的心血，居然伸出脚去垫，这 100 多斤重的家伙砸他脚上，差点给他砸残废了。

我，老狼和宋柯的青春

那时候的年轻人就是充满着这种敢爱的精神，“我要是爱音乐，我就什么都不干”，女生们也都支持男友们。我刚刚投身音乐时，还有一股风潮很有意思，那就是退学。大家都知道我是大学肄业的，我上到大三就退学了。我是 88 级的，我大二那年发生了什么就不多说了，反正那之后整个大学里推行了很多新的政策，比如女生宿舍不让男生进了。这对我来说是一个很大的伤害。

还有一个政策没伤害到我，但是伤害到了大批其他学生，就是不允许公费生出国留学了。那时候好多学生都是公费生，不但不用交学费，学校每月还补贴给你十七块五，加上粮票大概能换个十块钱，所以加起来相当于有二十多块的助学金。新政策就规定了，全体公费生毕业以后必须先为国服务五年，你不服务五年，想出国的话，就办不下护照。你得先为国服务五年，才能出国。除非你有直系乔属在国外，你是华侨生，你就可以直接出国；如果你有旁系侨属比如你哥哥弟弟什么的在国外，你可以交一万块钱的培养费还给国家，你就相当于变成自费生了，你也可以出国。

因为我妈是在德国生的，所以我其实是不在这之列的，我是可以直接出国的。但那一年之后，很多学生对国家挺失望的，自己也变得挺颓废，再加上出国留学这条最好的路被堵死了，于是大批学生到了大三就退学了。因为那条新政策规定的是，只要上到大四新学年你注册了，你就必须为国服务五年。所以很多人就觉得毕不毕业都不重要了，直接退学吧。这一退学风潮里就包括了郑钧、张楚、我师父黄小茂等等。

我一看大家都退学了，我也不想上了。我就跟我们家说我也退了算了，我不想念了。当然也有别的原因，那年暑假我跟老狼跑海南演出去了，演完了却没钱回来了，就流浪到厦门，在厦门待了一学期。回到学校以后，需要保留学籍，学校说你得再蹲一级。我一看，要留一级的话，我就相当于上六年了，多上一年本科，还不如也退学吧。之后，我们这些退了学的人，就在北京搞起了音乐。

年轻时的郑钧

我们这帮人里，数郑钧对音乐的感情最深。本来他已经拿到了美国某大学的录取通知书，签证也下来了，但临走时他又犹豫了，想来想去，为了音乐，决定留下来，不走了。今天大家觉得出国留学不算什么事，可是在当年要能出国留学，你知道是什么待遇吗？你拿着签证和录取通知书，随便走进北京一所著名的文科大学，说把校花带走，说“你愿不愿意跟我去美国陪读呀”？那校花多半会毫不犹豫直接收拾包就跟你走。当时人们对出国留学的看重，都到了这种地步。

那个时候郑钧也没钱，跟他当时的女友住在一个周围都是瓦砾的小平房里，因为附近都已经拆迁了，就剩中间一家钉子户，那钉子户有这么一间小平房，就租给了郑钧。就在那间小屋里，郑钧写出了《灰姑娘》。他那时的女友是他大学同学，可真是名副其实的灰姑娘，你想想，大老远陪着他从外地到了北京，天天给他煮面，陪他过这种苦日子。

当年北大也有一个音乐玩得挺好的，叫杨丹涛。他琴弹得虽然一般，但是文笔好，歌词写得很好。后来还出版过小说，还是我写的序呢。当年我和杨丹涛，还有北工大的金立，经常在一起玩，每个周末都要聚一下，要么在清华西操场，要么在北大三角地，要么在北工大。聚会时大家会玩好多有意思的游戏，比如说命题作文写歌词，指着某个物体，以此为题，大家就开始写，而且要分好调，分 ABCDEFG 七个调。因为我们正好七个人，一个人写一个调，限时五分钟。

我至今犹记，当年的另一个校园民谣主将，叫郁冬，五分钟就以“阳伞”为题写出了一首好听的歌词。他写的角度特别好，总的意思就是：我小时候最讨厌阳伞，因为看电影的时候，每当男女主角要接吻了，他们就跑到阳伞后头去了，我啥也看不见，而我很想知道阳伞后边到底发生了什么。后来我长大了，我也在阳伞后边发生了一些什么。大概就这么一个意思，很厉害吧？郁冬是海淀走读大学的，就是现在的城市学院，我们当时都管他们学校叫“海走”。

那时我们这几个人里，混的最好的是金立，她后来出国了。那时候还没手机，更没微信，等我们要出唱片《校园民谣 1》的时候，就到处找金立，因为里边也选了她的歌。虽然我们都记得她的歌怎么唱，但最好是她自己唱呀，可她本人那时候又联系不上，最后只好请了别的人来唱。这张唱片里也没收杨丹涛的歌，因为他也找不着人了。据说这哥们儿为了一段刻骨铭心的爱情，跑到四川彭县一个什么地方跟一姑娘待了四年。具体的情节大家可以去看他的小说，小说名字叫什么我忘了，反正里面写得挺惊心动魄的。几年之后他回来了，看那样子，被爱情摧残得都没人样了，可惜没赶上我们这拨高潮的到来。

我们这拨人里有一个能张罗的人，就是沈庆，《青春》这首歌就是他写的。我不爱张罗事儿，我也没想过靠写歌出名。当时我已经是一个成功的广告导演了，从清华退学以后，我当了一阵广告导演，还挣了不少钱，那时候我都有车了，所以我对张罗这些事儿也没太在意。沈庆就拿着这些歌到各大唱片公司推荐，其实就两家，一家叫正大，一家叫大地。先去的正大，正大当时的音乐总监是孙仪老师，《月亮代表我的心》就是他作的词。孙仪看完《同桌的你》以后说：“这叫什么歌词啊？歌词怎么能写得这么低俗呢？什么‘半块橡皮’？‘你问我爱你有多深，我爱你有几分’，这才叫歌词，知道吗？”把沈庆给轰出来了。

沈庆也没当回事，又锲而不舍地跑到大地唱片公司去推荐，大地唱片的老板是当时在香港炙手可热的被金庸称为“现代令狐冲”的于品海于老板，总经理是给 Beyond 写歌词的刘卓辉，音乐总监就是后来带我入行的师傅喽，黄小茂。在那之前，黄小茂就是我最喜欢的两个内地作词人之一，另一个叫陈哲。

记得上高中的时候，某天半夜一点，我一个好朋友突然来找我，我说你大晚上来有什么事？他说，你出来，我有一首歌想唱给你听。要不我怎么说那个年代的人都特勇敢、特简单、特温暖呢，你看看，这就是例子。于是我就走到院子里，月光如洗，他站在墙外边就开始给我唱："我祈祷，那没有孤独的爱，却难止住泪流多少……"这就是黄小茂写的《我祈祷》，当时觉得写得特别好，印象特深刻，所以我对黄小茂极为崇拜。

黄小茂一看我们写得那些歌，觉得特别好，就把我找来了。我来了把他吓一跳，因为我是开林肯来的，那时他开的是一辆四万块钱的拉达。他直问我："你是大学生吗？"我说："我这不命好嘛，也不知怎么东比画西比画拍拍广告，挣了一笔钱。"他说："那我给你多少钱合适？"我说："我不要钱，我就要一样，就是必须由老狼来唱，你千万别给我找一些什么晚会歌手、没念过书的来唱。"那个时候我可心高气傲了，所以要求必须是我们乐队的主唱老狼唱。

我们那著名的"青铜器"乐队组成以后换过三任主唱，直到有一天金立跟我说："你不是一直在找主唱吗？"我说："对啊。"她说："我给你介绍一个人吧。"我说："好啊。"她说："他叫老狼。"我说："这人什么来头？"她就说："某月某日下午几点，在北京建筑设计院门口，你们以戴草帽互相辨识相见。"于是那天我就去了，戴一顶草帽，看见了跟我一样清瘦的老狼。那时候我才102斤，老狼大概也就一百零几斤。他身边站着一个清秀的姑娘，是他女朋友。现在已经过去20多年了，现在他俩居然还在一起，那姑娘成了狼嫂。可见老狼是一个没有被时代改变的人。

那次见面后，我提议去他家唱。到了他们家，我记得老狼先唱了一首马兆骏的《我要的不多》，后来又唱了几首歌。我听着还不错，说："好，你就当我们乐队主唱吧。"当时老狼的妈还在旁边，她是中国广播交响乐团的团长，是一位正牌科班毕业的女音乐家，她说："什么？你们还能搞音乐？你

老狼、高晓松早年合影

要是有才华，还用他这小痞子？本团长要想帮你，分分钟就能搞起来。你用他？他根本不行。瞎胡闹！”下一个镜头是几年之后了，我再到他们家去，他妈正在接电话，也不知正在跟谁说：“三万块钱有点少吧？不去。好歹也得六万块钱吧？”她倒成老狼经纪人了，正帮儿子谈价钱呢，真是时过境迁啊，哈哈。

老狼刚加入我们的乐队时，嗓子可不像现在这样又高又尖。当时我们唱的那些歌都特怪，现在想想都特逗，叫什么《弗洛伊德弟子》《人与兽》，全是那种愤怒得不行了的歌。老狼这人其实挺面的，挺羞涩的，但是摇滚乐需要你要出那范儿来。每次我们去演出，跟别的摇滚乐队一比，就显出区别来了。看黑豹乐队的窦唯那范儿，人家浑身绑着黑皮带，手里拿一铃鼓，头发特长，梳一大辫子，一开唱“人潮人海中……”，那气势就哗的起来了。再看老狼一上台，“各位观众，大家好！ 我们，我们都是大学生……”就这路子的，我说：“你这，你是摇滚乐吗？你这什么路子啊？”后来想想，那时候的摇滚乐，纯粹是年轻人的荷尔蒙顶的，就觉得自己要流浪，自己要这样要那样的。但其实我们心里都还挺骚柔的，有时候震耳欲聋地排练了半天什么《人与兽》，安静下来的时候，我说：“哥几个，不好意思，我又写了一首骚柔的歌曲。”老被他们看不起。

摇滚乐是八十年代大学的主流音乐，当时的那种呐喊，那种风雷激荡，到什么程度？在什刹海吃着吃着饭，可能就有人噌的一下，跳到饭桌上演讲去了，演讲的内容就不便说了，总而言之就演讲一通。女生就觉得这男生真棒。当时摇滚乐是主流，谁都不好意思弹那种骚柔的。 有时候我实在排练累了，就很不好意思地说：“我给大家唱一首《同桌的你》吧。”大家听完以后，全都面无表情，啥意思呢？就是：“你有没有追求啊？你要不要呐喊啊？”

等后来校园民谣横空出世火了以后，晚会圈跟摇滚圈都骂我们。晚会圈说，你们这小情小爱对人民有什么教育意义啊？要寓教于乐，知道吗？摇滚圈也骂我们，说这个时代最需要的是呐喊，你们怎么能唱这些小情小爱呢？我们觉得好冤枉：就算我们是国家的一颗螺丝钉，我们就没有权利歌唱自己吗？我们就不能歌唱自己小小的爱与仇吗？不能歌唱自己的青春跟成长吗？难道非得去歌唱社会或者是批判社会吗？

这场辩论已经过去20多年了，今天再看看，那时候有关社会的所有歌曲，无论是歌颂社会的晚会歌，还是批判社会的摇滚乐，都找不着了。反而那些歌唱自己的歌曲，一直传唱到今天。我现在开音乐会，还能唱这些歌，大家依然还能听，还能流下浑浊的老泪。那个时候的社会倾向真有意思，觉得只要歌唱自己就不对。这样一来，我们等于是第一拨歌唱自己的。其实想想，流行音乐是干吗的？不就是歌唱自己的嘛？而且说实在的，这么多年也证明了，歌唱自己的音乐，才是流行音乐的主流。

当然了，现在大学生们的精英感也没有了，今天已经没有什么东西能冠以“校园”了。不像那个时代，大学叫象牙塔，里面都是精英、天之骄子。那时大学里面听的音乐跟墙外边完全不一样，墙外在听四大天王，墙内举办什么演出，您上台要敢唱四大天王，当场就能给你轰下去。

记得大一的时候我上台去，得了个第一名，唱的就是罗大佑的《闪亮的日子》跟保罗·西蒙的《斯卡保罗市场》，那时至少要唱这种歌才行。当然你唱崔健的也行，大家也热烈欢呼。那时候大学里面读的是《百年孤独》《霍乱时期的爱情》《更多的人死于心碎》这种，读的是尼采、米兰·昆德拉这种，村上春树已经到了最底线了。你要捧一本比村上春树还要通俗的小说，这宿舍就已经不能进了，鄙视死你。而外面的流行文学就是琼瑶什么的。可见那时的大学里是充满了精英意识的，而墙外的大众，其实也对大学里这帮孙子在干什么在想什么是很感兴趣的，所以这才导致了校园民谣的横空出世。

后来随着大学扩招得越来越厉害，这墙越来越低，墙里跟墙外的文化就越来越一样了。现在大学的墙就跟高跟鞋跟那么高，一迈腿就进去了，人人都是大学生，所以大学内外的文化已经没有任何区别了。由此可见，每次社会的前进，无论是经济带来的平等，还是科技带来的平等，其实都是有一个小小代价的，那就是精英阶层的丧失。当然了，我个人也并不觉得多遗憾，毕竟能让更多的人享受高等教育的权利了，让这个社会更公平了。即便损失掉几个精英，几个诗人，让校园民谣这种文化不复存在了，那也没关系，毕竟整个社会是往前推进的，总会有新的文化出来。

问答

Q1：高老师，您最喜欢哪部电影？

A1：我还是比较喜欢那种浪漫一点的，我最喜欢的导演是意大利导演托纳多雷，实际上我最喜欢的几部电影都是他导的，我对他有一种崇拜。如果让我给托纳多雷的电影排序的话，我觉得排第一的应该是《天堂电影院》，这是我最喜欢的电影，我至少看过十几二十遍，这部电影的一切都让我着迷。据说这部电影反映的就是托纳多雷的家乡，所以我就觉得小镇特别能养透人性，一些大艺术家，无论是作家还是导演，通常都出身于这种小镇。因为小镇的人际关系比较稳定，能通过长期的成长看透人和人之间的关系。相反，大城市虽然人多，但特别不稳定，人际关系都是流动的，在大城市长大的人对人性反倒不是那么透彻。

排第二名的应该是《西西里的美丽传说》，这是大美女莫妮卡·贝鲁奇的成名作。第三名的应该是《海上钢琴师》，这部电影简直太神奇了，是完全在一艘船上拍出来的一部奇幻而伟大的电影。说起来容易，想起来可难，光写剧本脑浆子都能写出来，但是人家居然拍出来了。

托纳多雷这三部电影就是我最喜欢的三部电影。我曾经有一个小小的梦想，就是能追随多纳多雷，哪怕给他当一个助理也行。我也曾经有两次机会，在电影节上分别遇见了他的制片经理和制片人，我都请人转达说，我说您能不能跟托纳多雷导演转达

一下？说这儿有一个中国青年特别热爱他，可以抛弃一切去追随他。当然最后也没回信，估计像我这样的人有很多吧。到今天我也没有亲眼见到过这位伟大的导演呢，这是一个遗憾。

Q2：台湾的“清华”跟北京的清华，两所学校之间有什么来往吗？

A2：来往很多啊，本是同根生嘛。台湾的“清华”不叫“台湾清华”，叫“新竹清华”，因为它是在新竹市。新竹清华是台湾最好的三所大学之一，另外两所是台大和交大。这三所学校有两所是从大陆搬过去的，台大是北大搬过去的，傅斯年去了当校长；新竹清华是我们清华搬过去的，梅贻琦去了当校长，而且后来美国人陆续归还的庚子赔款接着给了新竹清华；交大也是大陆这边的唐山交大、上海交大搬过去之后合并的。实际上大家都是同根生的，我们在加州的清华同学会早就统一了，在那儿我们不分新竹清华还是大陆清华，而且是两岸的清华校友轮流当会长，一年一换。

CHAPTER01

第四章

妄人列传之

马可·波罗

提示

《马可·波罗游记》最大的一个疑点，是他把自己说得太牛了。据他自己讲，他都快成皇上的小兄弟了，内政外交他管，税收他也管，还代表忽必烈出使过那么多国家。问题是，这么牛的一个人，历史上怎么就一个字都没有记载呢？》

从威尼斯到蒙古帝国

之前我讲过一个很受大家欢迎的“聊人”系列，叫“妄人列传”。咱们之前聊过蒙巴顿、康有为、切·格瓦拉这几个妄人，今天再来一个比这哥仨加一块都有名的，谁呢？著名的大妄人——马可·波罗。

很多人可能会好奇，你怎么能说马可·波罗是妄人呢？马可·波罗这么伟大，恨不能跟唐僧一样伟大的人。很多人不知道的是，你要在西方说起马可·波罗，尤其是在马可·波罗的故乡威尼斯，大家对他的评价，还真就是个妄人。“马可·波罗”这名字在威尼斯甚至已经成了一形容词，This is Marco

马可·波罗

Polo，意思就是“这是一不靠谱的事”“这是一个大忽悠”。当然了，他夸过咱们中国嘛，咱们对他推崇有加，也是可以理解的。每个国家都有历史荣誉感，尤其是东亚这几个国家，只要给贴金就高兴，只要批评就否认，实在否认不了，就赖在女人身上。所以马可·波罗把当时的中国夸成那样，让全世界都对中国着了迷，我们当然会觉得马可·波罗很好。

但是据我的判断，马可·波罗这人九成九的可能性没来过中国。这可不是信口胡说。1999 年的时候，美国的一个科学考察队，曾组织十个探险队员，加二十二个专家，进行了一场“重走马可·波罗路”的活动，就是用现代交通工具，沿着《马可·波罗游记》里写的路线走了一趟。这个活动最后在网上播出了，结果65%的观众认为，马可·波罗没去过中国。因为这条路今天走起来都已经是非常非常难了，更何况几百年前，那可要比唐僧取经难得多。

我第一次看这《马可·波罗游记》时，就觉得这哥们儿肯定没来过中国，肯定是吹牛的。因为这爱吹牛的人吧，很容易就能识破别人在吹牛，而我就是北京人啊。这全世界俩地儿人最能吹牛，一个是意大利，一个就是北京。北京人爱吹牛，那是全国闻名啊，你到北京来随便打一出租车，那司机立刻就敢跟你说："昨晚上中南海里聊什么什么事……"意大利人也这样，张嘴就来，胡说八道，所以西方人听见意大利人说什么，都不当回事。给大家举个例子，我去意大利，到一饭馆，故意问人家，说你们是米其林餐厅吗？大家知道，米其林餐厅那可是特别稀少特别珍贵的，荣誉是极其高的，最高只有三颗星，而且不是永久的，随时可能减颗星或者取消的。我问他们是米其林餐厅吗？"是啊。""几颗星啊？""四颗。"我一听，当时就石化在那儿了，这可真能吹啊！最逗的是，他刚吹完牛，这饭馆就停电了。我就寻思，是不是曾经有过辉煌历史、后来变得特孙子了，就这种地方的人爱吹牛呢？就像意大利，像北京这样的。

其实吧，吹牛是人之常情，适当吹吹牛也是可以理解的，不过你吹牛得吹得稍微有点影啊。比如之后真正来过中国的那些外国人，什么利玛窦啊，汤若望啊，南怀仁啊，这些人也吹牛。像汤若望，他就敢说，顺治皇帝一年之内去他教堂24次，去跟他商讨国家大事。你说这怎么可能呢，顺治英明神武，怎么可能什么事都去跟你商量呢？汤若望吹得最厉害的，是说康熙皇帝继位是由他决定的。理由是什么呢？因为康熙得过天花，有免疫力了，以后再也不会得天花了，所以得让康熙来当皇帝。你说这能信吗？虽然你正儿八经在中国待了几十年，还死在了中国，可你还是不了解中国，皇位继承这事，怎么能用天花就决定了呢？话说回来，汤若望吹的这些都是小牛，人家最起码在中国当过大官，在《清史稿》里也是有传的，只是话说得夸张了一点而已，这种人咱们不能叫妄人，可以叫“可爱的人”。

可是像马可·波罗这么能吹的，可是天下少见。最近我又看了一遍《马可·波罗游记》，看得我哈哈大笑。小时候还当世界名著一样看，现在基本上就是当笑话看了。这本书分四卷，我给总结一下：前两卷讲的是他自己的

《马可·波罗游记》抄本，第 123–124 节

事，其实就是《西游记》加《鹿鼎记》，里边讲的他比孙悟空还厉害；后两卷就是《三国演义》，讲的是蒙古战争的事，完全就是按《三国演义》那么讲的，说得胡说八道，辈分乱得一塌糊涂。

要不这样吧，我先介绍一下马可·波罗生活时代的背景，讲完了再接着批驳他。因为元朝的历史，正好是中国人最不熟悉的一段历史。我们中国人总爱把自己辉煌时候的历史搞得特详细，自己特倒霉时候的事就不太聊，而且那个时候西方世界什么样，我们也不是很了解，所以先给大家介绍一下历史背景。

从马可·波罗的家乡威尼斯开始讲吧。首先强调一点，当时意大利这个国家还没出现，意大利是 1861 年才成立的国家。当时在地中海周边，最强大的国家叫威尼斯。威尼斯是一个共和国，是靠民主制度运营着的，这共和国很大，几乎涵盖了意大利东部一直到希腊的所有地区，像克里特岛、塞浦路斯，都是威尼斯的。威尼斯的海军非常强大，至少在东地中海是无敌的吧。而当时的西地中海上，也有一个强大的共和国，叫热那亚。

这俩霸主后来打了一仗，结果威尼斯打败了，威尼斯舰队里有一哥们儿就被俘虏了，他的名字就叫马可·波罗。被俘以后，就有了这本忽悠了全世界 700 年的书。一开始还不叫《马可·波罗游记》，叫 Il Milione，翻译过来就是《百万》，为什么呢？因为在那书里，说到什么都是“百万”，说中国的人“百万”，中国的金“百万”，粮食“百万”，所以大家都管他叫“百万先生”。这“百万先生”居然还不识字，所以他要没被俘，这事还没人写了。马可·波罗被俘以后，关到监狱里，正好跟一个叫鲁斯蒂谦的作家关一块了，这鲁斯蒂谦已经被关十来年了，正没事儿干想写点什么呢，结果忽然来一人说：“兄弟，我叫马可·波罗，我去过中国 17 年，我是忽必烈大汗的铁哥们……”“太好了，你讲吧，我就写了这个了。”所以就有了这本书。

既然说马可·波罗没去过中国，那他在书里对中国的描述，是怎么来的？这就涉及到他被俘之前的经历了，这得回过头来继续讲讲威尼斯共和国。马可·波罗还没出生的时候，欧洲发生过一件大事，这就是第四次十字军东征。十字军东征，本来是打算去远征阿拉伯地区，可是需要借助威尼斯的海军，威尼斯说你不能白用啊，得给钱。十字军没钱可付啊，说咱们都是上帝子民，你怎么能这样呢？最后威尼斯人说，那这样得了，我也不运你去跟阿拉伯人打了，咱们直接去抢东罗马帝国吧，虽然他们也是咱兄弟，可他那儿是东正教，跟咱还有点区别，而且最关键的，他们有钱啊。于是，威尼斯海军就带着十字军去打东罗马帝国了，直接占领了君士坦丁堡，灭亡了东罗马帝国，新成立了一个帝国，叫拉丁帝国。这个时候正好是马可·波罗小的时候，所以马可·波罗成长过程中，见证了威尼斯的逐渐壮大。

可能有人会问，十字军为什么要去远征阿拉伯地区呢？原因就是阿拉伯文明是当时世界上最发达、最领先的文明，非常富庶。当时在整个阿拉伯境内，至少有十个以上的大型图书馆，其中巴格达图书馆就有 100 万册藏书。阿拉伯文明在天文、数学、科学等方面都是世界领先的。伊斯兰教是那时最先进的宗教，影响力遍及亚非欧三大洲，这一点基督教可也没做到。阿拉伯地区的农耕技术，也并不比当时的中国差，他们的水利灌溉系统非常发达。还有阿拉伯人用草木灰和石灰脱色提纯的榨糖技术，是世界独一无二的。当时欧洲的糖特别贵，只有贵族才能吃甜食。后来蒙古人统治了中国，大批的阿拉伯色目人来到中国，才把这种先进的制糖技术教会了中国人。当然了，有人会说，中国人也教会了他们一些东西呀，比如四大发明什么的。其他的我不知道，但至少有一点我不信，就是指南针肯定不是中国人教给阿拉伯人的。因为阿拉伯人的航海技术早就远超中国，是世界第一的。

马可·波罗小的时候，欧洲文明是远远落后于阿拉伯文明以及中国文明的，复兴的曙光还一点影子都没有，还处在漫长的黑暗中。当时欧洲几乎全是文盲，包括马可·波罗本人也是一文盲。别说什么100万本书的图书馆，一本书的图书馆都没有，估计也就是在修道院里有几本羊皮写的《圣经》。但这些文盲吧，还挺大胆，多次组织十字军，疯狂地去远征阿拉伯文明，说通

十字军东征

俗点就是“屌丝去抢高帅富”。虽然多次远征，但十字军很少能赢，大部分时候都是被这阿拉伯的穆斯林打得屁滚尿流。后来世界局势突变，在阿拉伯文明和汉文明中间，崛起了另一个“猛兽级文盲”，叫蒙古。蒙古同胞千万别骂我，我说的是实话，蒙古刚崛起的时候确实是没有文字的，蒙古文字是后来成吉思汗西征的时候，借鉴回鹘文和蒙古语的发音，重新创造出来的。蒙古崛起以后，就一路西征，所向披靡。阿拉伯本来还在西边跟十字军奋战着，结果背后突然冒出一蒙古，相当于腹背受敌啊，这边刚把十字军打下海去，后边的花剌子模就被蒙古大军攻陷了。没过多少年，本来强大的阿拉伯帝国，在十字军和蒙古大军的两面夹击下，就灭亡了。

说到这里，给大家详细讲一下蒙古帝国的来龙去脉。关于蒙古帝国，中国的历史学家历来分成两派。一派是大汉族主义，坚决认为蒙古人就是野兽，是十恶不赦的，因为我们的汉文明就是在元朝断掉的，等等等等。另一派还算比较客观吧，承认蒙古统治时期，除了坏事，还是做了很多好事的。我个人的意见，还是站在中间吧，中立地跟大家介绍一下蒙元时期的样子。

蒙古帝国，首先是元朝统治的这块地方，是黄金家族的共同财产，是几个汗国的本部和宗主国，所以元朝的皇帝还兼任着整个蒙古帝国的大汗。本部之外，还有四大汗国。四大汗国，是成吉思汗的子孙分别建立的。最大的一个叫钦察汗国，西起多瑙河，东到乌拉尔，是成吉思汗长子术赤的次子、西征统帅拔都所建。拔都的大帐在伏尔加河边，是一个金顶大帐，所以又叫金帐汗国。当时的俄罗斯各公国都供奉金帐汗国为他们的宗主国。成吉思汗的次子察合台，在原来西辽的基础上，再加上中亚的一部分，建立起来的叫察合台汗国。老三窝阔台汗更著名一点，因为他后来继承了成吉思汗的宝座嘛。窝阔台汗国不大，就是现在中亚几国这么大点。

还有一个伊儿汗国（又叫伊利汗国、伊尔汗国），这个汗国的来历复杂一些。蒙古的继承传统叫“老小守土[①]”，就是本部这块以后是要归老小的。当初成吉思汗分封的时候，先给前三个儿子分了三个大汗国，剩下一个老四没有封地，让他监国。这个老四是谁呢？就是拖雷。拖雷大家肯定很熟悉了，郭靖的拜把子兄弟嘛，华筝公主她哥。拖雷这一支本来是镇守本部的，但后来他的后代又成立了一个伊儿汗国。是怎么回事呢？成吉思汗去世后，按照祖制，本来应该由拖雷继承汗位的，可成吉思汗临死前又改主意了，改让老三窝阔台继位。窝阔台死，他的儿子贵由继位。贵由死后，经过一段混乱时期，经过忽里台大会的推选，汗位又传到了拖雷这一支，由拖雷的长子蒙哥继承了汗位。蒙哥是怎么死的？看过《神雕侠侣》的应该都知道。可那是文学演绎的，不是在湖北襄阳，而是在重庆合州的钓鱼城，蒙哥阵亡。蒙哥一死，他的弟弟忽必烈和阿里不哥又打起来了。忽必烈本来还在南边攻打南宋，可是抢汗位更要紧呀，于是赶紧撤军，结果又让南宋苟延残喘了很多年。

蒙古一直存在着汗位继承的问题，一方面说“老小监国”，但另一方面大汗还得靠忽里台大会推选。这一推选可要命了，蒙古早期人少的时候，大家可以坐那儿推选，可经过这几十年的征战，每个人都占着几百万平方公里土地呢，这就可难选了。因此，从蒙古帝国建立，到元朝灭亡，每次汗位继

① 即幼子继承制。蒙古习俗是年长诸子成年结婚后带着畜群分家另过，最后父母的家产由留在家中的末子继承。

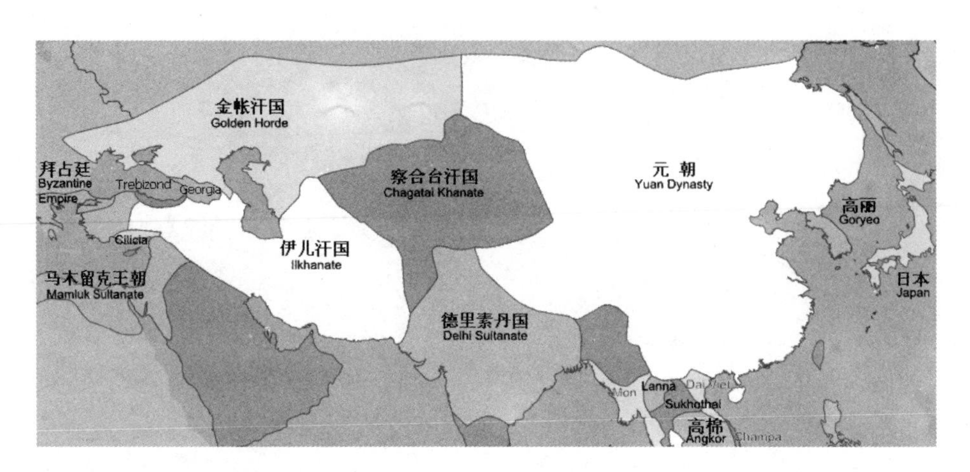

1335年的亚洲（此时窝阔台汗国已被察合台汗国和元朝瓜分）

承几乎都要大打一场，估计这也是元朝短命的原因吧。

忽必烈北上去跟阿里不哥争汗位，突然想起来，我还有一弟弟旭烈兀正在西征呢啊，得把他拉拢过来。旭烈兀是忽必烈的弟弟，阿里不哥的哥，当时正在西亚征讨现在的叙利亚。忽必烈就跟旭烈兀许诺说，你要支持我当蒙古大汗，你打下的这些地方，就都归你，我就封你一个汗国。旭烈兀觉得这挺合算呀，就同意了。旭烈兀建立的这个汗国，就叫伊儿汗国。所以这四大汗国，前三个是成吉思汗封的，第四个伊儿汗国是忽必烈封的。伊儿汗国的范围，正好是在最繁荣发达的两河流域，波斯湾附近，以及黑海沿岸，是四大汗国里地方最好的。

可是呢，有人不服啊，尤其是窝阔台的孙子海都不服，说汗位本来是我窝阔台家的，现在怎么就被你忽必烈弄走了？不服之下，就发动了叛乱，历史上叫海都之乱。海都之乱从1268年开始打，一直打到1301年，忽必烈都去世了，才最后被平定。平定以后，大元和察合台汗国就瓜分了窝阔台汗国的所有土地，又过了几年，窝阔台汗国就灭国了。

马可·波罗VS韦小宝

前文提到的海都之乱这段时间，正好跟马可·波罗“东游记”的时间是重合的。所以现在我回过头来再说马可·波罗，说说为什么我认为他那本游记都是吹牛的。

据马可·波罗所说，他是1271年从威尼斯出发的，也就是海都之乱的第三年。他说他沿着丝绸之路这条线往东走了三年多，才到达上都，见到了忽必烈。可这三年，中亚、新疆这一带，正是海都之乱的战乱期啊，可是马可·波罗在他的游记里，就没有提到一句，说他在路上看见断壁残垣，看见打仗的情景。他一路走得顺风顺水，就好像是在统一的大帝国里旅行似的，走得倍儿轻松。咱且不说战争因素，就单说自然条件，以今天的交通工具，那条路都很难走，可在他的描述里，他好像一路小跑着，就到忽必烈跟前了。从这一点上，我就觉得有问题。

《马可·波罗游记》最大的一个疑点，是他把自己说得太牛了。据他自己讲，他都快成皇上的小兄弟了，内政外交他管，税收他也管，还代表忽必烈出使过那么多国家。问题是，这么牛的一个人，历史上怎么就一个字都没

有记载呢？

中国的历史学家们当然希望他说的都是真的，就拼了命地去故纸堆里翻，可是查了没有一亿字也有8000万字吧，有一条史料记载过马可·波罗这人吗？没有。马可·波罗把自己说得那么牛，貌似只有一个人能跟他媲美，就是韦小宝。韦小宝可是北平过俄罗斯、南到过云南、东西纵横几万里、内政外交一把抓的人物，可历史上有一个地方记载过韦小宝吗？当然没有，因为都是编的，历史上就没韦小宝这个人。当然幸亏马可·波罗这人倒是一

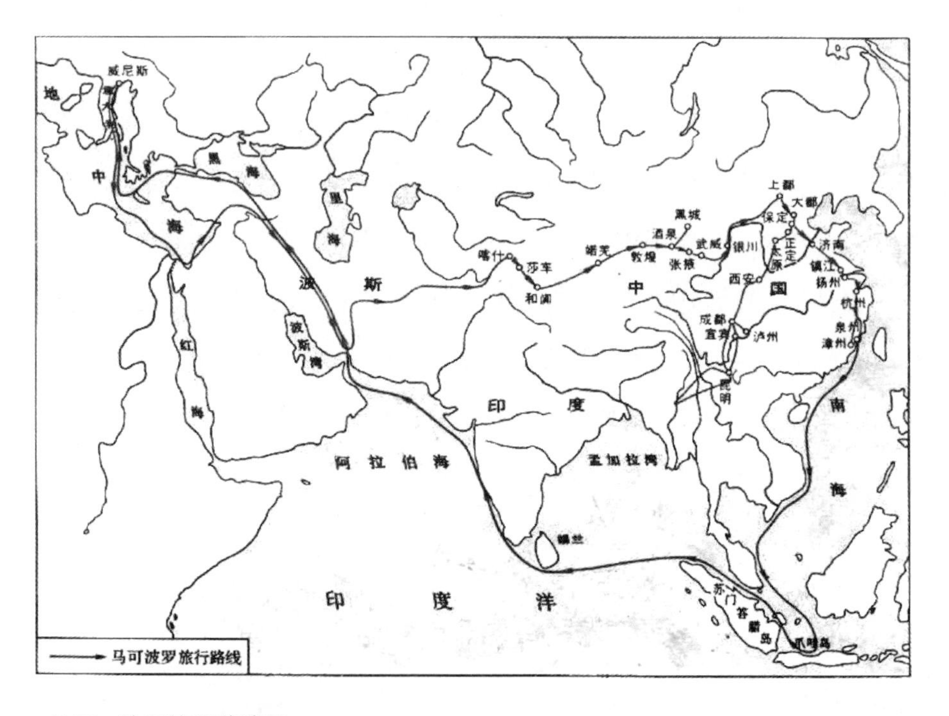

马可·波罗旅行路线图

真人，因为威尼斯的历史上有记载嘛。记载过他骗人钱，然后被人告了。因为威尼斯是共和国，所以所有的法律文件都保存下来了，里面就写着，马可·波罗曾经骗人钱，结果被人家起诉了，法院的记录还有呢。下边接着说马可·波罗跟韦小宝像在哪儿。

第一，都是皇帝的铁哥们，什么重要的事皇帝都得派你去。据《马可·波罗游记》里写，他曾奉旨出使过越南、缅甸、爪哇、印尼等地方，他还当过三年的扬州知府。可是在扬州的地方志里恨不能刨三尺，也没见过有一个知府叫马可·波罗的。中国皇帝的起居注也是记载得非常详尽的，每天几点到几点，皇帝见了谁，说了什么，都会记下来。可是这里面也压根没提到马可·波罗这么个人。中国的很多历史学家还是有基本的风骨的，以钱穆大师为首，是这么说的：我们宁愿相信马可·波罗来过中国，我们对马可·波罗怀有温情的敬意，因为中国从来没有在世界上被那么歌颂过，中国之所以有那么大的影响力，都是拜他所赐，所以我们不辩论，不考据，我们宁愿温情地相信他来过中国。可也有极少数民族主义爆棚的历史学家，非要去考据，想找出铁证，结果还真考据出一证据。这证据我一看，哈哈大笑，这就是我要说的跟韦小宝像的第二个地方。

马可·波罗在游记里写他还护送过元朝的公主，这不是跟韦小宝一模一样吗？韦小宝护送过建宁公主，马可·波罗说他护送过一位阔阔真公主。阔阔真公主确实是一位蒙古公主，但并不是忽必烈的女儿。马可·波罗护送阔阔真公主去哪儿呢？伊儿汗国。原来伊儿汗国的皇后死了，死之前皇后遗命说，必须是我族人才能接替我这皇后的位子。所以伊儿汗国就派了三个使者到元朝来，想再找一个皇后的族人。这个阔阔真公主恰好跟那皇后是同一个家族的，所以就被派到伊儿汗国去当皇后。刚才我说的那个历史学家找到的证据就是关于这件事的，他说从《永乐大典》的残片里找到了证据，说那里面记载着伊儿汗国派来的三位使者的名字，这仨使者的名字和《马可·波罗游记》里记载的三个使者的名字，一模一样，由此可见，马可·波罗来过中国。

这论证太可笑了吧？马可·波罗说对仨使者的名字，就能证明他来过中国？那马可·波罗还说过元朝大汗叫忽必烈呢，还说过元朝远征日本呢，还说过好多人尽皆知的事呢，这就能证明他来过中国？这就是中国史学界，花了一百年的时间，找出来的可笑的孤证。如果这个论证逻辑成立，那反倒可以证明他没来过中国。因为《马可·波罗游记》里是这么写的，说因为马可·波罗是威尼斯人，会航海，所以大汗放心把公主交给他，任命他为护送阔阔真公主舰队的头。若真是这样，那《永乐大典》的残片里怎么只记载了三个使者的名字，唯独就没记载过这舰队的头、钦差大臣、忽必烈的铁哥们马可·波罗呢？这不更证明了马可·波罗没来过中国吗？不更证明他在吹牛吗？

马可·波罗还有什么跟韦小宝很像，他俩都是文盲。威尼斯到现在还保存有马可·波罗的遗嘱，这遗嘱没有马可·波罗的签名，只有他按的手印。大家说："你为什么不签字呢？"马可·波罗说："我不会写字。"可见他确实是一文盲。但《马可·波罗游记》里他可没说自己是文盲，在游记里他可是说自己会说四国语言哦，他明确说他会中文跟蒙古语。从这点来看，他一定是在吹牛。为什么呢？因为如果他会说中文和蒙古语，就不会在游记里把所有地名的发音都用波斯人的发音标出来，还有少部分用的是突厥语，总之没有一个地名用的是中文发音或蒙古语发音。你说你在中国待了 17 年，你在扬州当过三年知府，“扬州”这俩字的中文怎么发音，你会不知道？大汗命令你去扬州的时候，肯定是用蒙古语跟你讲的，用蒙古语怎么说“扬州”这俩字，你会不知道？游记里写到扬州的时候，您用的既不是中文发音也不是蒙古发音，而是波斯人的发音，难道这不正说明您只是从波斯商人那儿听来的？

咱都不用学术考证，拿最基本的常识去想一想，就会觉得不对劲。你

位于扬州的马可·波罗塑像

连中国话都不会说，一些基本的地名都不会用中国话或蒙古话发音，你这钦差大臣怎么当的？忽必烈闲得没事儿么，派一个文盲四处转悠去？你怎么跟人交流啊？难道专门给你雇一个精通意大利语、蒙古语、中文三种语言的翻译？那绝对不可能。你说你还代表蒙古皇帝到爪哇，到越南出使过，可你就一口威尼斯语，也不会写字，圣旨更不会读，这出使怎么可能实现呢？韦小宝倒是有可能的，为什么？因为韦小宝是编的啊。

照马可·波罗所说，他还有一点跟韦小宝类似，就是都深得皇帝的信任。对这一点我表示怀疑，您说忽必烈他不信任跟他一块长大的人，不信任蒙古人，不信任汉人，不信任西域那些伊斯兰文明教育下的知识分子，他干吗闲得没事儿信任和起用你这个威尼斯来的文盲呢？按他自己说的，他见到忽必烈的时候，忽必烈都快 60 了，身经百战的忽必烈大汗怎么可能去相信你这个 20 多岁的年轻人呢？

有些跟我一样怀疑马可·波罗来过中国的历史学家考证说，在游记里你怎么没提过茶、筷子、毛笔这些在中国很常见的东西呢？这个论据我倒不觉得有多大的说服力，因为他没提的事多了，他还没提过在中国怎么上厕所呢，这不能证明他没来过中国。要找证据，要找铁证，咱得找他哪儿说错了。继续说我的证据，我的证据太多了。

马可·波罗说他去过刺桐城，也就是现在的泉州，关于泉州的描述，他只说了一点当地的商品。其实不光是泉州，他介绍的每个地方，都主要是在说商品。所以我就觉得实际上他没来过中国，他只是在波斯一带待过，跟他爸他叔叔做点小买卖什么的，所以能够见到和听到一些从泉州、从中国传过来的商品。关于他爸他叔叔，也很蹊跷，他爸他叔叔到底是做什么生意的，书里也没写清楚。最逗的是，他说自己做过三年扬州知府，但是关于扬州，他在书里只提了一句，说那地方“盛产马饰”，不是爱马仕，而是马的饰品，诸如马鞍子什么的。

您在那儿当了三年知府，就记住这么一件事？所以我就猜想，这些关于中国的描述，都是他从波斯商人那里听来的，然后就把这些只言片语记脑子里了。所以导致一说到关键的地方全是错的，比如你作为忽必烈的钦差大臣，怎么连太子是他孙子还是儿子都不知道呢？他一直以为那个太子是忽必烈的儿子，其实他在中国那段时间，当时的太子是忽必烈的孙子，之前死去的太子真金是忽必烈的二儿子，真金死后，忽必烈就把真金的儿子，就是他孙子吧，立为太子了。你看，皇位继承这么重要的事情，他都能给说错了。中国有几个省马可·波罗都不知道，他是这样分的，北方叫契丹，南方叫蛮子，蛮子国又分为九个小王国，杭州是一个小王国，刺桐又是个小王国，你说他这官当的，连这国家是什么行政体制都不知道。他所谓的小王国，其实就是元朝的行省，关键也不是九个省啊，而是十一个省。

关于刺桐城，马可·波罗了解得还没我多呢。泉州是当时世界上最繁荣的外贸港口，永远都停着上百艘阿拉伯商船，住着大量的色目商人。色目人即眼睛有色的人，就是阿拉伯人、波斯人，甚至包括马可·波罗这样的威尼斯人。泉州的色目人多到什么地步？多到泉州的市长都由色目人来担任了，当时的泉州行政长官就是个阿拉伯人。泉州城里至少有三座巨大的教堂，七座穆斯林清真寺。泉州城里的穆斯林人数也不少，还分了什叶派和逊尼派，这两派还互相仇杀过。你说马可波罗要是见到了他最熟悉的教堂，见到了他最熟悉的上帝，能不提一句吗？可他还真就没提。所以我觉得这些都能证明

元太祖成吉思汗像（台湾故宫博物院藏）

他并没来过泉州。

他是忽必烈的铁哥们、最信任的钦差大臣，可他连忽必烈的老祖宗成吉思汗怎么死的都不知道，他说成吉思汗是膝盖中箭而亡，也不知听谁说的，人家成吉思汗明明是病死的嘛。他还说，中国南方的所有城，像他去过的杭州、福州、刺桐，全都是用石头铺地，于是下雨多也不怕。我的天，他真拿中国当欧洲了，欧洲那时候确实是拿石头铺地，因为人家石头也多，可我们中国真没那么多石头，尤其在南方。中国古代都是用黄土铺地，下雨之后，车从路面轧过去，就变成了车辙，时间长了越轧越深，于是那车轱辘只能越做越大，要不然就陷进去了，“南辕北辙”里的“辙”就是这么来的。你说那时候中国要是有石头铺地，还能有“辙”的说法吗？咱不能说中国古代一条石头路都没有，极少数的皇家御用官道，还是有石头铺路的。

关于在中国发生的一些重要事件的时间，比如政变、起义的时间，《马可·波罗游记》有很多错误。按理说，马可·波罗跟鲁斯蒂谦口述的时候，刚回到威尼斯没几年啊，他还没老啊，怎么能出现这么多错误呢？当然了，有的中国历史学家还硬挺着，帮他圆上，说错的地方都是后来记录抄写这本书的人写错的，都是笔误。那我就想问这些历史学家了：为什么错的地方就是人家写错的，对的地方就都是马可·波罗说的呢？那这逻辑也可以倒过来想啊，有没有这个可能——对的地方都是后来的作者跟编辑帮他改的，错的地方是没查出来的？我倒觉得这更符合逻辑。

再说一个我的困惑，游记里也没提中国的印刷术。大家知道，《马可·波罗游记》应该算西方历史上仅次于《圣经》的第二大畅销书了，他活着的时候就已经出了十多个版本，那个时候欧洲还没有印刷术，所以这十几个版本都是手抄的。吊诡之处就在这儿，你马可·波罗可是自称到过中国的，你不知道中国的印刷术吗？中国在宋朝就有印刷术了，到元朝印刷术已经非常先进了。你这书需要大量复制、广泛传播的时候，为什么不给大家介绍一下中国的印刷术呢？这也太不合常理了吧。你看着这帮人用手抄书，那么费劲，您怎么就不提一下印刷术呢？这只能说明你没去过中国，不知道有印刷术这事，你见到的那些商人，没有卖书的，所以也就没人跟你说过中国的印刷术。

更可笑的一件事，是所谓的“襄阳献炮”。南宋末年襄阳城的陷落，估计大家都听说过，因为都看过《射雕英雄传》嘛。当然了，这些都是虚构的，当不得真，但襄阳城是被蒙古大军攻陷的，这一点是毋庸置疑的。据历史记载，蒙古大军围困襄阳城历时五年，最终靠两个波斯工匠献的大炮（即抛石机）轰破了襄阳城墙，才攻陷襄阳城。这俩波斯工匠的名字、年龄、籍贯，在各种文献里都有清楚的记载。可是马可·波罗居然敢在游记里说，攻下襄阳城的大炮，是他和他爸、他叔给造出来的，硬生生把这功劳揽他身上去了。正史上时间地点人物俱在的事，他都能给揽到自己身上，你说他是不是个妄人？坚信马可·波罗的中国历史学家，最后实在没辙了，指着两个波斯工匠名字中的一个说，其实这人就是马可·波罗，他意大利名字叫马可·波罗，波斯名字应该是这么拼。你说咱们的历史学家，睁眼说瞎话能到这地步！但是您要再问他一句，估计他就没话了。问什么呢？“专家，您再看看，襄阳是哪一年攻克的呀？”按马可·波罗自己的记载，襄阳陷落那一年（1273年）他还在路上呢，怎么可能跟襄阳扯上联系？

民国的时候，支持马可·波罗来过中国的历史学家，还闹过一个大笑话。怎么回事呢？原来，忽必烈在位时期，确实有一个出将入相的大牛人，叫孛罗。这名字被那历史学家看到了，说，你看，这不就是马可·波罗吗？你看他做过枢密副使，也就是国防部副部长，还做过钦差，甚至出使过印度和波斯，这不就是马可·波罗吗？其实你只要稍微一查，就能发现此波罗非彼孛罗，因为孛罗这哥们当到一品大员的时候，马可·波罗才17岁，还没见着忽必烈呢，怎么可能是一个人呢？

我说了好多马可·波罗和韦小宝相似的地方，其实他俩人也有好多不同，挑三点来说说。第一，刚才我说了，马可·波罗没女人，一个也没有，白来中国17年；韦小宝比他幸福多了，有七个老婆。第二，韦小宝有一堆朋友，马可·波罗没有，他只有一个朋友，就是忽必烈。第三，韦小宝有爵位，人家帮康熙立了那么多功，最后被封为了鹿鼎公；可马可·波罗呢，替忽必烈办了那么多事，忽必烈也没给他任何爵位，他在游记里写了大量中国人的爵位，就没说自己是什么爵位。这俩人的区别，也能反映出马可·波罗说的话不太靠谱。

假游记里的真历史

中国这边，咱找不到有关马可·波罗的任何历史记载，那意大利那边有没有呢？前边我说了，他的老家威尼斯是有资料记载的，连遗嘱都有呢，但是这些资料里边，没一个字提到过他去过中国。大家想一想，雁过还掉根毛呢，人走过去放个屁还能留一阵子味儿呢，是不是？你说这人来中国 17 年，走南闯北干过这么多事，您总得留点纪念品吧？您总得从中国带点什么东西回威尼斯孝顺孝顺你妈吧？或者拿着从中国带回的纪念品跟周围人吹吹牛、炫耀炫耀吧？

可事实是，马可·波罗没有带回威尼斯任何一样跟中国有关的东西。可能他也觉得这不太合适，说服不了人，就编开了瞎话。怎么说的呢？说护送阔阔真公主这船，被海盗劫了，死了好几百人，于是东西都丢了。行，就算您东西都丢了，可您不可能叫海盗给扒光了吧？难道您回到老家，穿的还是 17 年前从威尼斯出发时那件衣服吗？您在中国生活 17 年，总得穿件中国衣

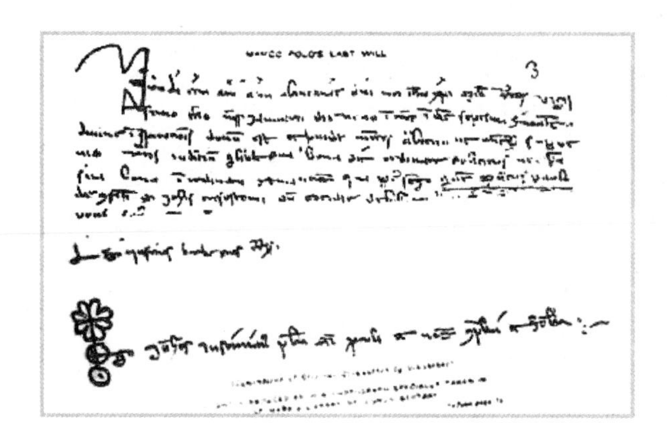
MARCO POLO'S LAST WILL

马可·波罗用意大利文书写的遗书

服回来吧？可惜没有。当然，威尼斯的博物馆里确实还有个马可·波罗罐，说是马可·波罗从中国带回来的，可后来据中国考古学家一考证，说不是，跟马可·波罗没一点关系，这个罐子出现的时间比马可·波罗晚多了。我估计这是有人想借着马可·波罗的名气发点小财，编造出来的。马可·波罗的遗嘱里有他所有财产的分配，里面也没有任何一件中国东西。

马可·波罗临死之前，他的家人就求他，说，你临死之前，你能不能confession一下？就是告解、忏悔。反正你也快死了，能不能对你吹过的牛做下忏悔？这样你好安心离去，我们也省得老被别人骂。结果他说："我没吹牛，一句都没吹，而且我说过的事情只占我看到的一半！"这就是马可·波罗最后留下的话。马可·波罗回威尼斯以后又跟家人生活了很多年，可到最后对他最为熟悉的家人居然求他忏悔吧，这也从一个侧面说明，他说过的话连他家人都不相信。

西方对私有财产的保护是很严格的，所以马可·波罗的遗产都有明确清单。这个清单里面没有任何关于中国的东西，唯一沾点关系的，就是他在遗嘱里提了一句，说他死后就把他的一个蒙古奴隶给释放掉。马可·波罗有一个蒙古奴隶这事挺稀奇的，也不知他从哪儿弄来的。按理说在蒙古帝国境内，不可能有蒙古人给你当奴隶的。你想啊，在元朝，蒙古人排第一，色目人排第二，您马可·波罗一色目人，拿一汉人当奴隶差不多，您怎么敢把您排您前边的蒙古人当奴隶，这不找死吗？可不知怎么回事，马可·波罗确实有一蒙古奴隶，这是真事。除此之外，他的遗产和遗嘱里，就没有任何中国元素了。

马可·波罗没来过中国，那他对中国的这些描述，是从哪儿来的？我觉得最大的可能，就是他听来的。马可·波罗的爸爸和叔叔都是做生意的，他肯定跟着他们到处跑过。据有些历史学家考证，黑海沿岸他肯定是去过的，甚至可能航过海，去过东南亚，因为他描述占城、爪哇这些地方非常详细。他要说自己航过海倒也罢了，可他不，非说自己在北京怎么着，在扬州怎么着，非来这套，这不是妄人是什么？

虽然我说马可·波罗是个妄人，但也承认，他的游记还是有一定的史料价值的；虽然里边的内容大多是听来的，但毕竟记载了大量当时跟商业、金钱有关的资料。比如关于元朝的税收、元朝的纸币损耗、制作元朝纸币的材料、各地的物产及价格情况等等，充分反映了元朝商业的繁荣。游记里还描述了当时的“行在”，也就是杭州，因为曾是南宋都城，所以称为“行在”。他把杭州说得很夸张，说城里有上万座桥，路上有一万两千行行人，每行有多少多少人，夸张极了。虽然这些都是商人们讲给他听的，但也有一定的真实性。

蒙古人是如何统治中国本部的，游记里也有所提及。蒙古人早期东征西讨的时候，实行的政策是非常残暴的，号称“灭国四十，屠城无数”，大量像阿拉伯文明一样灿烂的文明被毁灭。在中国本部，蒙古一开始采取的也是屠城政策。例如灭金之后，黄河流域的汉人被杀得十户九空；还有南宋的川陕地区，因为蒙哥大汗死在了合州钓鱼城下，所以也被杀得非常残酷。但是到了后期，蒙古大军进攻到江南的时候，忽必烈身边已经有大量的汉族知识分子做参谋，他们都劝忽必烈说，不能再走抢东西、杀人这条路了，你们已经是一个大国家的中央政府了，治理国家你得有税收吧，南宋再屠没了，就没的可抢了。道理确实是这样，南宋人杀光了，还有地可抢吗？日本？没抢下来被神风给吹了。朝鲜？人家硬顶着，虽然最后臣服了，但其实也是没弄下来。还有越南，这国家可真像一个打不死的小强，蒙古大军打遍世界，就是没打下越南，因为越南的气候太湿热了，蒙古大军受不了那儿的气候。忽必烈一想也是，说那算了，江南咱们就采取另一套制度吧。因此，在除了川陕以外的整个南宋，蒙古人采取了非常优厚的政策，不仅没怎么杀人，税收还降到了南宋时的三分之一。

蒙古人还在历代行政区划的基础上，发明了行省制度。行省制度的一大用途就是为了防止地方割据，就是把操着完全不同口音的人群，被山川或河流隔开的两块区域，划在一个省里，比如历来属于四川的汉中地区就被划给了北边的陕西行省。这种“犬牙交错”的划分非常有效，即使战争爆发，像四川这种地方想独立也独立不了。民国初年联省自治，好多省天天闹独立，却始终没有一个省能真正独立，就是因为早在元朝划省的时候，就把你独立的优势消弭于无形了。要想实现独立，就得特别依靠地形，这边隔山，那边靠江，中间是你，就方便独立，否则就很麻烦。皖北跟皖南，苏北和苏南，中间都是跨一长江，你没法独立，即便独立了，也是分着的。虽然你这南北两边口音不一样，经济水平也不一样，什么都不一样，但就给你攒成一个省，你也没办法。所以说外族统治者也有他的智慧，就让你们捏不到一块去，这就是行省的来历。

元朝的时候，税收非常低。当然了，税收低也主要是便宜了大地主，因为皇上这边税收减了，大地主跟佃农收的租子一点没减。拿江南地区来说，当地的那些大世族大地主，到元朝一点事都没有，黄河流域全部被涂炭，长

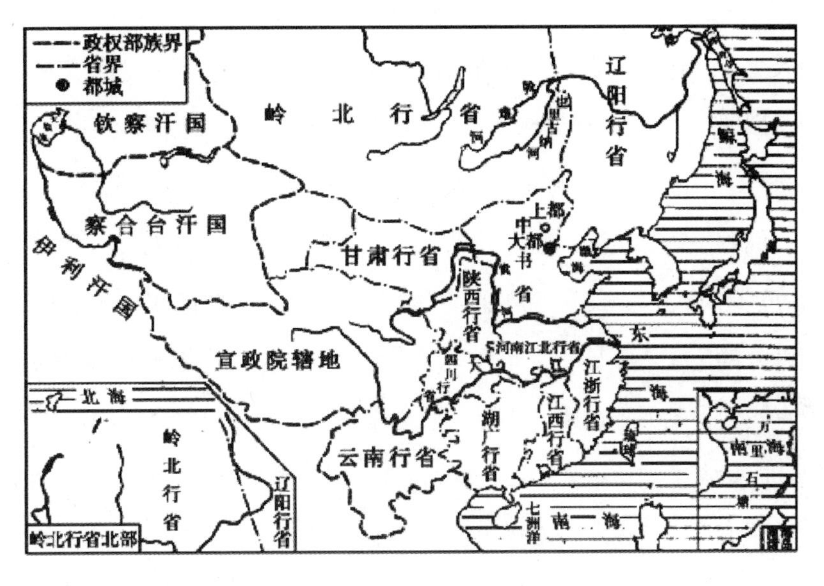

肇始于元朝的行省制度

江流域却莺歌燕舞，舒服极了。到元末张士诚割据江南的时候，他的税收就已经是元朝的三倍了，当然这也是因为打仗没办法。等到明朝建立了，税收更厉害了，都是元朝的九倍了。钱穆先生有一本书，讲的是明初的诗词，这里边写得很有意思。钱穆先生分析说，明初知识分子的诗词里，为什么那么多怀念故国、怀念胡元的呢？就是为这个税收问题，“自从有了朱皇帝，十年倒有九年荒”，朱皇帝一来，什么大氏族，什么大地主，统统消灭。所以导致江南士子对元朝特别怀念。

大家对元朝还有一个误解，说元朝没科举，对文人不好。其实元朝后来是有科举的，而且有大量的江南文人通过科举当上了官。就算不当官，元朝的江南知识分子也可以做到“无冕之王”。因为这些文人同时也是大地主，成千上万顷的地都是他的，那么多佃农都归他管，虽然没有官衔，也管着大片的地和人，不啻为“无冕之王”。所以明初士人怀念元朝，也很正常。后来清朝灭亡了，也差不多，多少遗老遗少，虽然不是满族人，是汉族人，也对清朝特别留恋。比如王国维，纯是汉族人，而且是大师级的，还留过学，愣是不剪辫子，最后还在颐和园投湖自杀了，义无再辱，殉了大清朝。

人们对元朝的误解，还有所谓的“四等人”，说是蒙古人第一等，色目人第二等，北方的汉、契丹、高丽、渤海等族以及南宋的四川汉人第三等，除四川以外的南宋人第四等。可实际上呢，后来历史学家查遍了元朝的法律，也没有找到一条关于这个“四等人”的规定。只是在一些个别的、具体的法令里，比如说上厕所谁先谁后这种小问题，规定过说蒙古人优先，色目人其次，然后汉人、南人。要说真正在全国推行的法律里，真没明文规定过。还有“九儒十丐”的说法，知识分子经常抱屈，说你看我们在元朝的时候多惨，娼妓都排到我们前头，八娼九儒十丐，我们只比要饭的好一点。其实查遍元朝的所有史料，也没有一条法令规定过人分十等，知识分子排第九。相反，忽必烈很喜欢知识分子，重用了大量的汉人知识分子。

元朝建立前的蒙古政权确实残暴，但是从忽必烈开始，应该说元朝尽了一个王朝应尽的大部分义务。宋元鼎革时期死的人虽多，但在中国历史上也排不到前五名。宋元前后中国的人口数，我给大家数个数：蒙古人灭金之前，南宋差不多有 5000 万人，金差不多也有 5000 万人，这俩加一起有一亿多人；还有个大理国，小国，有 200 万人；西夏有 300 万人。蒙古最后统一全国以后，统计全国人口，还剩 6500 万人，相当于差不多 40% 的中国人口，因为蒙古入侵而消失了。这在中国历史上的战乱死亡人数排第几呢？

汉族人老爱说外族残暴，那就说说咱自己杀自己的吧，中国历史上排第一的，是大家最熟悉的三国时期。东汉末年，还没爆发黄巾起义的时候，全国差不多有 6000 万人。这 6000 万人，先被董卓闹，后被袁绍闹，又被袁术闹，最后被曹操闹。大家一通乱打之后，全国只剩下 1600 万人。西汉东汉这 400 年，人口数可一直是排世界第一的，罗马帝国使劲开疆拓土，增加人口，也仅排第二。经东汉末年一通乱打，三国时期的中国人口直接就被罗马帝国超越了，而且第二都排不上了，第二变成印度的孔雀王朝。你说这种杀戮不比蒙古人凶狠得多？当然我不是替蒙古人辩解，谁杀人都是反人类罪。可能有人会说，要论绝对人口数，肯定是蒙古人杀的多。可那是因为人口基数变了呀，宋元之际，人口基数已经过亿了。其实就算论绝对人口，死人最多的，也不是宋元之际，而是闹太平天国的时候，那时候中国已经好几亿人了。经过清朝与太平天国十几年的拉锯战，中国最富庶的江南地区，生灵涂炭，死亡人口至少超过了4000万。

很多人说元朝短命，跟他建国时的残暴有关系。可残暴政权多了，历史长的多着呢。我觉得元朝的短命，实际上跟蒙古这个民族有很大的关系，说直白点，就是这个民族膨胀太快，文化没跟上。你想蒙古帝国最大的时候3000多万平方公里，恨不能比后来的大英帝国还大，恨不能全世界都是他的。这样一个在西征路上才刚有文字的民族，后来就出现了很多问题。第一个，就是宗教信仰问题。宗教信仰应该是一个民族最重要的文化，可蒙古政权一开始时就没有一个统一的信仰，顶多有点什么萨满教之类的，这就导致他每占领一个地方，就被人家给同化了。他不像穆斯林或者汉人，穆斯林打到哪儿就同化哪儿，哪儿就变成穆斯林世界了；汉人也是，打到哪儿，儒家那一套东西就到哪儿，就科举吧，就伪君子吧，就衣冠禽兽吧，所以我们汉人被占领了也不怕，反正我们有强大的文化侵蚀力。可是蒙古不行，他是打到哪儿被哪儿同化。比如金帐汗国，没几年就突厥化了；还有伊儿汗国，一部分就穆斯林化了，还有一部分就信基督教了，旭烈兀自己倒是信佛教的，可他妈妈跟老婆都信基督教，所以旭烈兀还跟十字军配合作过战，一起打穆斯林。中国本土呢？对宗教更是宽容，忽必烈根本就是欢迎一切宗教信仰，所有宗教一律平等。

支持马可·波罗来过中国的人，还从宗教信仰这个角度找了一个证据，说，你看，游记里有一个细节写得多好，正史上没有记载，只有他这游记写了，就是写一个教堂里的修士们都特别谨小慎微，躲躲藏藏的。学者们就说，你看这肯定是摩尼教，因为摩尼教在元朝是被被禁止的。从来没有人记载过，你看就他记载了，所以证明马可·波罗来过中国。实际上呢，完全不是这么回事，马可·波罗在中国的 17 年是忽必烈时代，忽必烈对所有宗教都持宽容态度，摩尼教被禁是元朝后半程的事，那时候忽必烈早就死了。忽必烈时代各个宗教平等到什么地步？

有一次，有个人跟忽必烈说，这伊斯兰教有问题，他们这教义说所有不信他们的人都是异教徒，都得杀。忽必烈很清楚，杀人这事没人能跟蒙古人比，就找来一个伊斯兰教的大博士，问人家：“我听说你们这个经里说，凡是不信你们这教的人，都该杀，那你为什么不把我杀了？你想杀吗？”结果那博士还是个虔诚的伊斯兰教信徒，什么都不怕，铁骨铮铮地说：“我想杀，可是还没到时候，因为现在我们还没有你们强，我们杀不了你们。等我们比你们强了，你们要不信，我们就要消灭你们这些异教徒。”忽必烈震怒了，说：

元世祖忽必烈像（台湾故宫博物院藏）

“你还想杀我们蒙古人？杀人是我们蒙古人的专利，你还想杀我，给我拖下去斩了！”旁边人赶紧劝，说：“别，您斩一个宗教大师，这不太好，有损您这明君的名声。要不我们再给您找一个来吧。”就又找了一个来，忽必烈又把刚才那话问了一遍，那哥们特聪明，一看形势不对，说：“不是，我们要杀的是那些一点信仰都没有的人。我们首先要感化他们，他们信了最好，但是如果非信别的神，比如上帝，我们也允许。我们不是要杀所有的人。”忽必烈一听，这个还不错，就连带着把前面那博士也给放了。这就已经很宽容了，要搁别的皇帝，早就给你凌迟处死，剁成肉泥了。

还有一次，有一个穆斯林属国的使臣来进贡，受到了忽必烈的赐宴。这简直是无上的荣誉啊，可那哥们却拒绝吃。忽必烈问：“你为什么不吃啊？嫌我们这东西不好吃吗？”“不是，我们穆斯林必须要吃阿訇宰的动物的肉，不是阿訇杀的，我们嫌脏。”忽必烈气坏了，说：“老子赐你，你还嫌脏，推出去斩了！”大家就劝，有人就告诉忽必烈说：“这些穆斯林，只吃由他们的阿訇用‘断喉法’宰杀的有数的几种动物肉，其他的都不吃。”忽必烈怒了，就下了一道令：整个大元帝国境内，禁止断喉杀生法。忽必烈心说，我不迫害你宗教，我不让你那么杀总可以吧？可是这个伊斯兰教的创始人，这个穆罕默德太厉害了，他把他干过的每件事，都写到了经文里，包括怎么宰牲，怎么吃饭，怎么对待一个老太太，等等等等，详细极了。所以就导致这个教比较严厉。你不让断喉宰，这些穆斯林真就不吃了，可不吃肚子饿呀，最后这些穆斯林心说，干脆走吧，不来了。忽必烈的命令没执行几年，底下人就跟忽必烈说：“大汗，您看，您这命令一下，那些色目人都不来了，所以这生意也不行了，税收也下降了。”忽必烈一想，那算了吧，既然你们那么虔诚，那就解禁吧。解禁之后，这些波斯商人，色目商人，才又回到中国来。

不管马可·波罗来没来过中国吧，他的名气都在那儿摆着呢，中国人西方人都认识他。2014年，美国还专门花了9000多万美金的大价钱，拍了关于马可·波罗的电视剧。大家要是有闲工夫，可以看两集，要是稍微有点忙，就别看了，因为我已经看了两集，实在是看不下去。这个剧里有不少中国演员，陈冲在里面演忽必烈的皇后，还有一个叫朱珠的演员，演马可·波罗的情人。我看了一集多点，实在是看不下去了。为什么呢？还是因为马可·波罗他这游记是假的，他确实没来过中国，所以很多人物的设置根本不合理。如果他真来过中国，他会写到很多关于他自己的事，比如说食啊、色啊、情啊。可他这游记顶多相当于一部关于中国的小百科全书，里面都是他从各处收集来的资料，没有关于他自己的一些东西。这就导致没办法在剧里建立一个活生生的、有血有肉的人物，这剧也就没法看，人物太干瘪了。

一只鸟飞过天空，总要留下点什么，要么你在这儿留下了痕迹，要不你带点这个地方的味道回去。马可·波罗两样都没有，既没有在中国留下一丝痕迹，也没有带中国的任何东西回威尼斯，这就是我不相信他来过中国的最大原因。

问答

Q1：在古代的将领里，你最喜欢谁？

A1：我最喜欢司马懿，不光是因为玩三国杀的时候，司马懿的“反馈”“鬼才”技能很好使，重要的是我觉得司马懿才是真正的好将领。孙子说过“上兵伐谋”，好将领不应该光会狂打狂杀，还应该有智慧和远见。我觉得司马懿比诸葛亮还聪明，因为他连空城计都能看出来。本来诸葛亮还担着心，说我这玩的空城计，司马懿看得出来看不出来呢？你别看出来真进来把我给抓走了，那可要了命了。司马懿在城底下一看，“哼！跟我玩空城计，那我得走。”都看出是空城计了，怎么不攻进去呢？因为司马懿心里很清楚，把诸葛亮抓回许昌去，对他没有任何好处。因为人家司马家是打算以后篡权的，这一点虽然路人皆知，可曹家就是不敢办司马家。为什么？就是因为西南还有个诸葛亮，这是外患。司马懿这招可以叫“养寇自重”，所以一看是空城计，不但不打，还赶紧跑了。后边一堆将领也跟着跑，跑着跑着，司马懿一看表说，诸葛亮差不多该走了吧？撤了吧？回去一看，诸葛亮果然走了，就这样又让诸葛亮多活了几年。这才有了后来的司马灭曹、灭魏，才有了后来的晋朝。所以说，一个真正的好将领，不是光靠硬拼，还要既能看得出空城计，又能想到不同决定带来的不同效果。

CHAPTER01

第五章

时刻都在“刷存在感”的澳大利亚

提示

澳大利亚有一个特别有意思的特点，别的国家都没有。什么特点呢？估计很少有人能注意到，澳大利亚居然是全世界最爱参与战争的国家。如果仔细统计一下，你会发现，澳大利亚几乎参与了近现代的所有战争，虽然没有一场是他发起的。〉〉

晓松看澳洲

假如在大街上随便拉一个中国人，你让他说出五个或十个国家的名字，我猜他一定会说到澳大利亚。中国人为什么会对澳大利亚这么熟悉?

首要一个原因，这国家在地图上太显眼了。你去看世界地图，不管你怎么看，都不会把澳大利亚给绕过去。因为整个南半球就俩特大的国家，一个巴西，一个澳大利亚。中国、美国都是900多万平方公里，巴西是800多万平方公里，澳大利亚是700多万平方公里，不小了。第二个原因，现在很多中国人都有亲戚或朋友在澳大利亚，所以都对澳大利亚情有独钟。

还有一个原因，近年来吧，中国人民的老朋友越来越多，爱跟咱们国家来劲的国家是越来越少了，爱批评中国的国家，就只剩下澳大利亚、加拿大，偶尔德国也会骂几声。因为这个原因，澳大利亚就经常在负面新闻上出现。这么看起来，中国人对澳大利亚好像是很熟悉，但是你要问他一点关于澳大利亚的事儿，估计他还真不一定很清楚。不像美国，美国还能说出一堆州名字来，什么加州、纽约州；英国也能说出几个城市名字来，什么伦敦、爱丁堡等等。可你要让他说出两个澳大利亚的州名来，他还真说不出来。

你要让中国人说一个澳大利亚的城市，估计大部分人都会说悉尼。为什么呢？因为像我这年纪的人，都经历过 1993 年的那次伤痛。我记得特清楚，那天我正在一个叫李云海的钢琴家家里坐着，电视上正在直播 2000 年奥运会举办城市的最终投票仪式。

在那之前，凡是涉及国家竞争的事，我国的媒体通常都只说赢的事，不说输的事儿，所以在我们很多人的印象里，中国就从没输过。那次我们就都觉得：咱铁定赢啊，肯定是北京啊，我天朝上国还会输吗？而且还当着全国人民的面，根本不可能输啊！萨马兰奇打开信封，先说了一句：“感谢北京……”很多人就开始欢呼，觉得选北京了啊！结果最后人家萨马兰奇说是悉尼。这下就伤透了很多中国人的心，所以很多人就记住了悉尼这座澳大利亚城市。

好！今天我就开始跟大家好好聊聊澳大利亚这个国家。还是老规矩，每说到一个国家，我先说观感，再说历史，然后是观点。

先说观感。首先，对悉尼这城市，我有一个感觉就是，当年英国人踏上这片新大陆的土地时，可真会找地儿。如果给世界上最好的港口排排名，悉尼肯定排进前几名。为什么？它是一个巨型的海湾，口特别小，肚子特别大，又没有大河入海，这就是天然的良港。你说这好地儿怎么都叫英国给占了呢？西班牙、葡萄牙找了半天都没找着这么好的地儿。

从数据上来看，澳大利亚是个比美国还要富的国家。他们的人均GDP、各种福利、收入等等，都比美国高。在澳大利亚街头随便一看，你就知道这是一个好地方。首先，比美国要干净，可能是因为澳大利亚的人种比较单一，大部分都是白人，不像美国融合了那么多民族，导致大家的文明水平不

悉尼歌剧院

太一致，你去美国的大城市看，好多地方都脏兮兮的。

澳大利亚好吃的也多，无论是我在唐人街吃的中餐，还是在澳大利亚餐厅吃的西餐，都堪称世界顶级水平。所以我就觉得，移民国家就这点好处，缺什么人才就拿绿卡吸引什么人才。一个人不管什么职业，他都想到更好的地方去生活，你说对吧？所以澳大利亚就拿绿卡吸引了大批好厨子移民过来。这里既有香港厨子，又有台湾厨子，还有全世界来的各种厨子，他们的共同点就是饭做得特别很好吃。这是移民国家的一大优势。非移民国家就不行了，只能靠基因，说您这民族会做饭，就会做饭了，像意大利、西班牙；说您这民族不会做饭，就不会做饭了，像英国、德国。

澳大利亚的优点，就先说这一点吧。我觉得一个地方既漂亮又干净，人口素质又高，饭还做得好吃，好的生活要素基本都全了，这就足够了。然后说说我在澳大利亚看到的问题吧。

首先，物价很高。这里什么都贵，车要比美国贵两三倍，跟美国差不多大小的房子却不便宜，这是第一个问题。这么算起来，虽然澳大利亚的人均GDP比美国要高，但老百姓的实际生活水平跟美国相比可能还是差一点。为什么美国的物价就便宜点呢？我觉得有一个重要原因，美国是全球的商业、工业流通中心，大规模的流通导致美国的商品成本很低，所以造成他整个物价的低廉。

第二，种族单一。澳大利亚几乎是我到过的发达国家里白人最多的。澳大利亚的白人人口比例之高到什么地步？差不多占到了全国人口的92%。这样高的比例一定会产生问题，像种族歧视。世界上任何一个地区，如果某个民族的人口比例过于突出，或多或少都会出现大民族沙文主义。比如咱们国家，持大汉族沙文主义观点的人就不在少数。

之前我聊南明往事，大批的明粉就在网上整天“满遗”“鞑子”地乱骂。还有很多中国人说什么“崖山之后，再无中国；明朝之后，再无华夏”，我们国家有这么多民族，难道只靠汉族吗？难道汉族没落了，这国家就没了吗？类似的问题在澳大利亚也存在。澳大利亚白人太多，有些白人就觉得澳大利亚文化就是白人文化。

这点跟美国不一样，美国是到了另外一个极端。美国的白人现在都被“种族歧视”这顶大帽子扣得没什么话语权了，平时说话特别小心，什么话都不敢说。在对某件事情表明态度的时候，亚裔就敢说“你怎么怎么样”，因为没有人说亚裔是种族歧视者；黑人更敢说，骂都没事儿，因为没有人说黑人是种族歧视者。所以谁都可以发表意见，唯独白人不敢，白人对任何事情都用一个词来评价——adorable（可爱）。This is adorable，只能说“这可爱”“那可爱”，任何复杂的情绪都包含在这么一个词“可爱”里。澳大利亚白人可没这么多顾忌，我就多次听到白人用那种有明显倾向的语言来说话。

给大家举个例子。比如说有一次我在酒店碰到个明显是商人阶层的澳大利亚白人，我就问他说：“我听人说澳大利亚好像是一个 racist country（种族主义国家），你觉得是吗？”结果那白人回复我一句，把我给噎回去了，他说：“我们哪里种族歧视了？我不是正和你坐在一起聊天呢吗？”我都惊呆了，这句话要放在美国，可就是货真价实的种族歧视语言。

类似的种族歧视语言，还经常出现在对外来移民的态度上。比如，说到移民的时候，澳大利亚的种族歧视者经常把一句话挂在嘴边：“这个种族是我们最喜欢的，因为他们特别容易融进 our culture（我们的文化）。”他的意思就是说，你们来了，就得融进我们的文化。这个像极了我们网上那些大汉族沙文主义者对少数民族的评判标准，同样是，谁能融进我们汉族文化，谁最先被我们同化了，谁就是好民族；相反，坚持自己的民族语言和民族文化的，你就是蛮夷。

当然，种族歧视者并不是澳大利亚人的全部。在澳大利亚我们请了一当地的白人司机，他操着一口非常好听的英国本土口音，一看就是受过良好教育的 upper-middle class（中上阶级）。我在这儿插一句，要知道，大部分普通澳大利亚人的英语都是有口音的。澳大利亚人的英语口音，你适应两三天就能听懂了，因为他们这口音是有规律的。一个规律就是，A 的音他们不会发，偏要发成“唉”（音），Today 他要说 to die（音）。所以美国人笑话澳大利亚人有一句话特逗，大家不是打招呼时不是经常说“Where are you going today”吗？你干吗去？这句话从澳大利亚人口里说出来就变成了 Where are you going to die？你上哪儿死去？

所以当我们听到这司机一口纯正的英伦腔的时候，我们都傻了，问：“你这个英文怎么说这么好？你是澳大利亚人吗？”他说：“我是啊，我也可以说澳大利亚口音啊，但我一般都不用澳大利亚口音接待客人。”后来他跟我们处的时间久了，就跟我们说了下他的故事。

原来他以前是个生意人，做的大概是小额融资、担保保险之类的东西。他本来在悉尼市中心最好的写字楼里有自己的办公室，雇用着 18 个员工，一家人住着大房子。可金融危机的时候，他的公司倒闭了。没办法，他就申请破产了，房子也卖掉了，孩子们都去打工了。

澳大利亚实行“白澳政策”时的宣传画

我也知道，有很多从事旅游服务的人为了跟客人拉关系而经常胡说八道，但这个司机的故事我还是相信的，证据就是他说话这口音，还有他关于澳大利亚历史的观点。我确信他是一个受过良好教育的中上阶级澳大利亚人。

因为我问他对“澳大利亚是一个 racist country（种族主义国家）”这种说法有何看法时，他非常激动地说了一大番话：“我们当然不是 racist country，我们不但不是 racist country，而且现在都倒过来了，你看我都不敢叫中国人 gook（英文里对亚洲人的蔑称）。我只要管中国人叫 gook，管任何有色人种叫一个他们土语里的名字，那我肯定会被骂成是一个种族歧视者。可是这些有色人种呢，他们可以随便管我们叫 whitey（白鬼子）、honky（黑人对白人的蔑称）、red necks（红脖子），我们还不敢还嘴。你说这能叫种族歧视国家吗？”

自从 1901 年澳大利亚成为有宪法的联邦之后，一直严格执行着所谓的“白澳政策”，即只接受白人移民，其他移民一概不准来，不管你如何艰苦、如何不容易，不管你怎么来的，一律都把你遣送回去。这种严格限制有色种族移民的政策，在其他国家都是很少见的。美国当年也只是通过了一个《排华法案》，而没有排斥其他种族。可是在澳大利亚，你几乎见不到黑人，在这儿这么多天我大概只见过一个黑人，原住民更是一个都没见到。

“二战”之后，澳大利亚接受了大量的东欧白种移民，还有犹太人，使得他成为仅次于以色列的接受犹太难民最多的国家。这段时期也是澳大利亚人口增长最快的一段时间。这种“只有白人才能来”的“白澳政策”一直到 1972 年越南战争的原因才被动地打破。

1975 年 4 月，北方的越共军队攻陷西贡（今胡志明市），忠于美国的南越政府官员和上层人士，加上大批的难民，纷纷逃往海外，澳大利亚就是目的地之一。澳大利亚也是和美国一起支持南越政权的，所以接受了大批的南越难民。除了南越的难民，东南亚各国的常年战乱，加上时不时的排华，不少东南亚华侨也迁往了澳大利亚。澳大利亚放亚裔移民进来也是始于此时，但这种放开也不是无条件的，而是有严格限制的。那些南越政府逃出来的难民，他甚至还跟人家要机票钱，没钱？那就先欠着，到澳大利亚后先打工还账。

对一些穆斯林难民，澳大利亚就没那么客气了。澳大利亚四面都是海，很多穆斯林难民是坐船来的，结果刚登上澳大利亚海岸就被拦住了，从哪儿来的送回哪儿去。后来甚至连 BBC 都批评过澳大利亚，说你怎么这么不人道、这么不文明呢？人家都是被政治迫害或因为战乱逃来的，都是在老家没法生活了才来的，世界各国都有义务接受，你咋就不接受呢？有些被澳大利亚强行遣返回去的阿富汗难民，刚下飞机就被塔利班处决了，这一幕就被西方的电视台拍到了，并在电视上播出了，澳大利亚因此遭到了全世界的批评。

现在澳大利亚的白澳政策虽然从法律上给废除了，但是其实澳大利亚人的内心深处还是有明显的种族歧视倾向的。既然在民主社会，一切都是由选票决定的，那如果 92% 的选票都来自于白人，而白人又不喜欢这些移民，那政府出台的政策当然就是有利于白人的。

应该说，澳大利亚人对华人还算是好的，因为一般华人都很勤勉，像给我们开车的这位落魄商人。他一直在强调：我们并不歧视你们，但是你来了得工作，得劳动，而不是只是来吃福利的。澳大利亚跟大多数西方国家一样，福利非常好，年纪轻轻不工作也有补贴，等你老了退休了，甭管你以前工作过没有，都有退休金可拿，还有全民医保等等。

移民数量多了，白人当然会愤怒。我们这司机就说："我们最讨厌的是以政治避难为名到我们这儿占便宜来的，也不工作，吃我们的，喝我们的，去我们的医院免费看病，导致我们看病还得排队，而且我们的平均福利也慢慢下降了，我们的退休年龄现在都延长到 70 岁了。"

所以现在澳大利亚的规定改了，30 岁以下的，如果你不工作就不给补助了。你不残不疾的，干吗不工作？而且从全民免费医疗变成了甭管大病小病都得交 7 澳元，虽然对于病来说这点钱不算什么，但总之是开始收钱了。

澳大利亚曾经是英国的殖民地，所以也就秉承了英国的很多传统。比如大家都认为自己是中产阶级。收入高的人，税收高，收入中很大一部分都交税了，所以他觉得自己是中产阶级；收入低的人，因为高福利使他生活得不错，所以也觉得自己是中产阶级。

世上有两种国家；一种是这个国家的大部分人都觉得自己是中产阶级，像欧洲、澳大利亚；另一种是这个国家的少数人掌握了国家的大部分财富，像美国、中国、俄国。这两种国家哪种更好呢？我觉得现在还不是下结论的时候。按理说前者更好一些，但目前我看到的情况是，欧洲也好，澳大利亚也好，这些国家的高福利制度都有了难以为继的迹象。

澳大利亚的政府欠债已经欠到了开始抢人民的钱的地步，新规定说，银行账户只要三年没有支取过，就可以收归国有了。这里我就要提醒把钱存在澳大利亚的中国贪官一下了，您好歹每年取一块钱，要不然澳大利亚政府直接给您抢走了。虽然最后你可以申请再要回来，但到时候你就得提供合法证明了。

下面是我的第二个观感。虽然澳大利亚和美国都是英格兰、爱尔兰移民的后裔，但是两个国家其实有很多不同。

比如，美国不禁枪，估计永远也禁不了枪；而澳大利亚有禁枪法，已经严格实行了二三十年了。澳大利亚最开始也是不禁枪的，牛仔们放牛放羊都需要带着枪，看起来很粗犷很彪悍的样子。后来澳大利亚政府收枪的方法也简单，交一把枪可以领 350 块钱，就把枪全收起来了。

澳大利亚和美国另一个不一样的地方是，赌嫖合法。在美国，嫖娼好像只在内华达州的少数几个县合法，其他所有州都不合法。还有赌博，在美国，赌博是美国人给原住民的一个福利，除了在印第安人保留地里可以开赌场，其他地方都不可以开，这可能是出于当年对不起人家印第安人的一种补偿吧。澳大利亚没这个限制，全国都可以赌。你要到澳大利亚的赌场里一看，哎呦，人山人海，全是中国人在那儿赌。

英国人的体形，一般是男的胖，女的不太好看，这一点也被澳大利亚人忠实地继承了。在澳大利亚街上走一趟，你会发现，好看的女人比例极低，这就导致了一个后果。什么后果呢？就是在澳大利亚嫖娼，价格之高令人发指。当然了，站街的女人里，难看的占大多数。亚洲人可能150、200澳元（跟美元差不多）这样，澳大利亚的本土白人可能贵一倍，再往上是越好看价格越贵。

他们这儿管夜总会叫private club（私人会所），我们还问过一些懂行情的，大概是在夜总会里待一小时650澳元，两小时1250澳元。您要带回家去，如果是特别好看的那种playmates级别的，没个九千一万的美元是带不走的。我们听完都傻了，心说，一晚上能扔九千一万的人，您还上这儿找什么呀？您随便去哪个学校或酒吧，就把一万美元拍那儿，估计就有人直接跟你dating了。估计是因为酒吧里的姑娘没那么好看吧。澳大利亚的姑娘普遍不够好看，这点很像英国，结果就导致了这里色情产业很发达且极为昂贵的恶果。

澳大利亚跟美国一样，如果你拿的是学生签证，你是可以打若干小时的工的。在很多人的印象里，能出国留学的全是富二代，其实真不是，我在国外见到的留学生，大部分都是靠自己的努力才得以出来留学的。没有钱怎么办？只能打工。比如在美国，可以在校内当助教、研究助理之类的。而在澳大利亚，除规定了每周打工不能超过 20 个小时之外，并没有规定你能打什么工不能打什么工，反正只要是合法的工就可以了。刚才我说了，在这里赌博和嫖娼是合法的呀，所以下边我就不多说了。亚洲人里做这行最多的是韩国人，还有一些从国内来的人，通过别的途径弄个学生签证，每星期也能合法地打上 20 小时的工。

总有极少数的中国人，喜欢钻人家国家的政策漏洞，占点小便宜。澳大利亚也有便宜可占，因为它有个人才政策，规定了这里缺哪种人才，哪种人

墨尔本雅拉河南北岸的夜景

才就可以申请移民，即技术移民。所以理论上来说，如果澳大利亚某种人才正奇缺，而你只要能证明自己擅长干这个，你就能从澳大利亚政府申请到这个不用考雅思的移民配额。

我听说有的华人律师已经开始干这种事儿了，在此我郑重呼吁：大家还是不要干这事儿了，咱给中国人争口气吧！让韩国人去干这事儿吧，咱们还是开餐馆吧，哪怕开个洗衣店也行啊！咱多跟美国加州的华人学学不行吗？加州华人现在的收入和教育水平都已经超过白人了，华人的总体教育水平、本科毕业率是加州所有种族里最高的。我觉得这才是华人到海外去的最高目标，而不是挖空心思占各种小便宜。

如果一个国家大到一定程度，或者是经过长时间的分裂之后才统一的，那么这样的国家通常有两座不相上下的大城市，而且这俩城市还通常互相看不上。比如罗马跟米兰，一说起来，罗马人觉得我有历史，我有文化，我有这个那个，你有什么啊？米兰就说，我有时尚，我有钱，我比你富啊！

澳大利亚的悉尼跟墨尔本，也经常上演这样的“双城记”。墨尔本是过去靠开采金矿发展起来的，很有钱，这城市一看就非常有文化，满大街都是维多利亚时代的建筑，还有各种老电车，看起来就像一座优雅漂亮的欧洲城市。悉尼呢，一看就是后来才发展起来的现代化大都会。所以这俩城市一碰，当然要互相看不上了。墨尔本说，您没文化，没传统，您是囚犯待的地方。因为澳大利亚早期的移民就是英国来的囚犯，最开始就是关在悉尼的。墨尔本人说，您一关囚犯的地方，能有什么素质啊？您看我们这儿，有文化，都是贵族。悉尼人当然不服了，说，您这多土啊！我们可是现代化大都会，您上全世界问问去。

实际上，墨尔本早在1956年就举办过奥运会了，比东京还早。墨尔本曾经是英联邦50多个国家里的第二大城市，仅次于伦敦。悉尼是属于后来居上的，因为它发展得太快了，毕竟是大港口，新来的移民也愿意在现代化的悉尼待着。因为移民来得早晚的缘故，墨尔本人的肤色都显得比较白，而悉尼人肤色就明显一些，亚洲人稍微多一点。

墨尔本和悉尼这俩城市打得不可开交的时候，经常拿两位女明星当代表，因为这俩人正好来自这两大城市。凯特·布兰切特，墨尔本人，一看就是那种维多利亚式的很传统很优雅的女性。她的演技非常好，曾凭借《蓝色茉莉》当选了2014年奥斯卡奖最佳女主角，这部戏里她几乎是独角戏，从头到尾都是她一个人在那儿演说。妮可·基德曼，在悉尼长大的，从外表根本

梅尔·吉布森

看不出来是哪儿人，因为人家是一个现代女性，你就是说她是美国人也没问题。这个大美女嫁了美国大帅哥凯斯·厄本。

说完了美女，说说帅哥。澳大利亚现在最有名的大帅哥也是两位，这两位估计大家也很熟悉，尤其是喜欢看英雄电影的。一位是休·杰克曼，一位是罗素克劳。之前有名的大帅哥还有梅尔·吉布森，但是梅尔·吉布森有点过气了，明日黄花了。

关于梅尔·吉布森，这里跟大家多说一句，其实他不是澳大利亚人，人家是美国生的爱尔兰后裔，12 岁时才搬到悉尼来的，之后就在这儿上大学、学戏剧。所以澳大利亚人也都把他当作半个澳大利亚人吧。好像移民国家都有这毛病，好的都是我的，坏的都是别人的，都跟韩国人似的。

最近加拿大人也犯这毛病，以前贾斯汀·比伯没出事的时候，好的时候，就说人家是加拿大人，说你看我们加拿大的大歌星贾斯汀·比伯。最近贾斯汀·比伯因为“吸奶门”给弄得声名狼藉，加拿大人就换了副面孔，说都是被你们美国害的，在我们加拿大他挺好的，一去你们美国就养成了一身恶习……

澳大利亚的导演我就不说了，应该这么说，好莱坞的大导演都是澳大利亚人。其实好莱坞的电影观众是不大看重这些导演和演员的国籍的，不管你是澳大利亚人，美国人，还是英国人，大家都认可你为好莱坞导演。比如英国导演盖·里奇、克里斯托弗·诺兰，大家都统称他们为好莱坞导演。像前边提到的妮可·基德曼，大家也没有觉得她是澳大利亚明星，而是统称为好莱坞明星。当然，英美澳三国的演员都可以流利地讲三国的口音，这也是他们的国籍不太引人注意的原因。

空中补给于1980年发行的专辑《Lost in Love》封面

我觉得好莱坞演员最敬业的地方就在于他们的口音了：演古装戏，马上全都一口英国口音，不管你是澳大利亚演员还是美国演员；演美国戏，英国演员都是一口痞了吧叽的纽约"yo yo"；澳大利亚演员演英国戏说英国口音，演美国戏说美国口音，这些完全没问题。说到这里，我就要吐槽一下咱们自己的电影圈了，尤其是我们的台湾同胞演员：您能稍微敬业一点不？演大陆戏的时候，您能说普通话不？你能来点大陆口音不？您那个台湾腔一点也不光荣，作为一个演员，应该是演哪儿的戏就说哪儿的口音，这才是一个好演员。

说完影视，咱们接着说说音乐。加拿大和澳大利亚的流行音乐，虽然都属于英美文化的第二级，但它们又有区别，都有着自己的特点。加拿大产

默多克

的全是个人歌星，席琳·迪翁，贾斯汀·比伯，布莱恩·亚当斯，这些全是个人歌星。而澳大利亚盛产的是乐队，有大量的优秀乐队。给大家说几个大乐队：Bee Gees，澳大利亚流行乐坛的鼻祖，重金属时代最伟大的乐队之一。AC/DC，今天你要问澳大利亚人哪个乐队最能代表澳大利亚，对方多半会说AC/DC，AC/DC是跟美国“枪花乐队”齐名的重金属时代的乐队。

要说中国人民最熟悉的乐队，应该是Air Supply，因为Air Supply的歌曾被填上中文歌词，改名为《我需要爱》，在中国唱过无数个版本，“我需要爱，我需要你回来，这全是我错，请你不要离开我”。Air Supply是旋律大师，但他们在澳大利亚和美国并没有那么红，反而在中国特别红，因为他们没事儿就来中国演出，我们翻译成“空气补给乐队”，不知道为什么要这么

翻。还有 Savage Garden，翻译过来叫“野人花园”，这是后起乐队里最重要的一支。

在文化娱乐方面，除了大批优秀的电影导演、演员、流行乐队，澳大利亚再值得说的就是悉尼歌剧院里上演的歌剧了。我曾在悉尼歌剧院看过一出威尔第的《弄臣》，感觉非常好，觉得应该算是歌剧市场化过程中做得最有分寸的了。过去的传统歌剧，有点像我们的京剧，都是因为受舞台技术的限制，比如不方便转台什么的，所以写意很多。过去的歌剧比京剧还具象点，道具也多，不像京剧就一个桌子俩椅子。

随着时代的发展，无论是京剧还是歌剧，现在大家都不怎么爱看了，所以就有了所谓的“歌剧市场化改革”。问题是，很多人改得过头了，都不像歌剧了，反而像音乐剧了，吵吵闹闹的。但是我看的这出《弄臣》，改革得就非常到位，舞台非常棒，可以双面转台，演出过程中，舞台可以呈 3D 式角度去转。演员的表演也非常精彩，那里边宫廷里的风流女子，居然半裸着就上台了，但我并未觉得很过分，因为人家的分寸掌握得特别好。再加上音乐等等，这场歌剧各方面都给我留下了非常深刻的印象。

在文化界，澳大利亚还有一个人不得不提，他的名头甚至都超过了前边提到的这些影星、歌星，他就是默多克。默多克是澳大利亚人最引以为傲的一个名字，因为基本上澳大利亚所有的报纸都控制在默多克的手里。澳大利亚只有一份全国性的报纸叫 Australian，就是默多克办的；澳大利亚一共六个州，每个州最主要的报纸也都是默多克办的；在个别的发达州，可能还有第二份报纸，那肯定还是默多克办的。所以澳大利亚人都说，反正在我们州只有两个选择，要么看默多克办的全国性报纸，要么看默多克办的州报。这有点像我们的《新闻联播》，要么就看中央电视台的《新闻联播》，要么就看本地台转播的《新闻联播》，总而言之，转来转去都是《新闻联播》。

就算到了美国，还是躲不开默多克。打开美国的新闻福克斯台，一看，默多克办的；拿起的美国报纸，一看，还是默多克办的。这样看来，默多克可能钱没有巴菲特或比尔·盖茨多，但人家靠什么？人家是舆论大亨，靠舆论来给你们洗脑。所以默多克在澳大利亚人心目中，简直是个英雄，是澳大利亚最伟大的人。

“无役不予”的好战国家

按照咱们的习惯，聊完了观感与文化，该聊聊澳大利亚的历史了。同样是老习惯，聊历史我也只聊自己觉得有意思的、好玩的历史，至于其他的东西，可以从教科书中去学。

先说下澳大利亚最重要的两个节日吧。首先就是国庆日。澳大利亚的国庆日是 1 月 26 号，为什么定在这天呢？因为 1788 年的这一天，是第一批英国流放犯人的船队在悉尼港登陆的日子，澳大利亚从此诞生了。

这种国庆日的设立原因，在全世界从殖民地独立的国家里是极少的。甭管是印度从英国独立也好，谁谁谁从法国独立也好，基本上都是把宣布独立那天或者设立宪法那天当作国庆日的，而像澳大利亚这样把自己“沦为”殖民地这天当成国庆日的，还真是挺少见的。

这直接反映出：澳大利亚并不觉得自己是“从英国的殖民统治中奋战独立”的，而是觉得自己还是英联邦的一员，还跟英国是一家人，英国女王还是他们的女王。澳大利亚的国旗上还保持着英国的 The Union Jack，即“米字旗”。用他们自己的话来说，就是，“我们就是从这儿来的，This is where we from，这就是我们所拥有的历史跟传统，我们当然要珍视了。”

虽然今天澳大利亚的年轻人可能更喜欢美国一点，但是老一辈们还是跟英国有着深厚的情感。如果你问一个澳大利亚人，英国口音好听还是美国口音好听？他们多半不会直接回答，而是说：“英国口音更加高雅，我觉得所有的中产阶级都应该说英国口音。美国口音虽然比我们好听一点，但也仅限于电影唱歌什么的。”澳大利亚老一辈人对英国的这种感情在它独立的历史里有迹可循。

澳大利亚最开始是由六块殖民地构成，也没有一个统一的总督，就跟美国似的。19 世纪末的时候，大英帝国下属的殖民地掀起了独立浪潮，最开始是加拿大，然后是澳大利亚，1900 年，澳大利亚的六个殖民地商量说，既然咱都是同文同种的，咱还是弄一块去吧。于是大家搞了个联邦宪法，还跑到伦敦去申请，居然被批准了。

到了 1901 年 1 月 1 号，澳大利亚联邦正式成立，这个联邦已经有了自己的宪法，有了收税和组织军队的权力，和独立国家其实只剩一点区别了，就是还没有外交权。外交权还掌握在英国本土一个专管各殖民地外交政策的一办公室手里。如果未来有一天澳大利亚成为了一个共和国，那么 1 月 1 号很可能会成为一个重要的节日。澳大利亚联邦成立以后，独立性越来越高，尤其是参加“一战”以后，国民认同感越来越强。

“一战”之前你要问一个澳大利亚人是哪儿人，他可能会说他是维多利亚人或者新南威尔士人，他绝对不会说自己是澳大利亚人，因为他还没有这个国家的观念。“一战”之后你再这么问，他多半说自己是澳大利亚人，因为战争对国家观念的形成是非常重要的，尤其是“一战”导致了很多民族国家的形成，这个以后咱们再讲。

1931 年，英国推出了一个《威斯敏斯特法案》，只要接受这个法案，你就算独立了。但有一个前提，这个法案只适用于白人自治领。大英帝国的殖民体系，是有严格的等级的。第一等是六个白人自治领，即加拿大、澳大利亚、新西兰、南非、爱尔兰及纽芬兰（后来并入了加拿大），英国对他们好极了。

大家知道，大英帝国让各殖民地独立的时候，留了很多很多坏招，但是对白人自治领就很宽容，因为这都是直系，都是英国人的后裔，连地名都叫 new 这个 new 那个的，不像南非叫什么 burg，Johannesburg（约翰内斯堡）这名字一听就不是英国名字。六个白人自治领里，爱尔兰是英国心头永远的痛。他倒是想跟爱尔兰亲，可人家不但不跟他亲，而且还跟他不停地干、不停地闹，因为宗教跟他不一样，爱尔兰是信天主教，英国是新教国家。最开始南非跟英国也不亲，因为南非这块地方都是荷兰人、德国人的后裔，不是英国人的后裔。英国为了把南非纳入自己的怀抱，还打了两次布尔战争。

受英国青睐的白人自治领，可以顺顺当当地独立，而那些非白人自治领，像印度、巴基斯坦这些，可就没那么幸运了。您要独立？往后排吧。而且允许你独立的时候，对不起，还给你留一堆炸弹，让你们自己慢慢闹去吧。

印度独立的时候，英国弄了个“蒙巴顿方案”，即“印巴分治方案”，这个方案直接导致印度跟巴基斯坦后来打了三次大战，因为克什米尔地区的归属没给确定，还有宗教问题、土地问题，都没有解决。印度和巴基斯坦打来打去，最后东半拉巴基斯坦又独立成一个新的国家，叫孟加拉国。直到现在，克什米尔都没说清楚应该归谁。

香港也是，香港原来也是英联邦的一员，英国说你不是要回你祖国去了吗，那我也给你使点坏吧。使的什么坏？以前只有白人自治领的人民才有自己的宪法、议会、征税权、军队等等，非白人自治领就派英国总督管着。香港作为英国的殖民地，是个法制地区，有自己独立的司法，但是政治权利一直是没有的。

香港要回归中国了，英国临走前就说，政治权利也给你们吧，于是就在1995年选出来一个任期四年的议会，让香港人民忽然之间有了政治权利。过去100多年他都没有放权，这要回归了他放权了，这不是使坏是什么？那意思就是：看你们中央政府到时怎么办。反正我选的议会是四年任期，到了1997年，您敢废除这个人民选的议会？不废除的话，你敢直接用这个议会？总之，你怎么弄都不讨好。到最后中央政府只好下决心，另起炉灶，重新选了一个选举委员会，弄得当时香港又是游行又是抗议的。这一后患到现在还没完，现在还在闹。这就是英国走的时候在香港留的“小炸弹”。

英国推出的《威斯敏斯特法案》就相当于一部Bible（圣经），只要你接受这个法案，就可以成为一个独立的国家，在大英帝国里你就和英国是平等的。率先响应的是加拿大，然后是澳大利亚。1935年，澳大利亚开始有了自己的外交部；1939年，澳大利亚派出了自己的第一任大使。虽然实际上独立了，但澳大利亚还尊奉英国女王为国家元首，自认为是英帝国的一员。后来英帝国没有了，改叫英联邦，澳大利亚继续自认为是英联邦的一员。

关于"英联邦"的英文叫法，有个有意思的事儿。原来的大英帝国运动会，叫 British Empire Games，后来大英帝国解体了，改叫英联邦运动会（British Commonwealth Games）了。有的国家就说，大家都平等了，你怎么能还把 British 放前头呢？你不能放前头了，你若不拿下来，我就退出了。所以就把 British 去掉了，改叫 the Commonwealth Games，而英联邦也就变成了 The Commonwealth。所以大家在任何场合看到 The Commonwealth，就应该立刻明白，这个就是指英联邦。

现在的英联邦，主要是一个方便英国及其前殖民地国家在政治经济方面合作的松散的组织。它没有设立任何权力机构，只在伦敦有一个秘书处，而且成员也不是一直固定，也会进进出出。比如太平洋岛国斐济就因为拖欠会费，在 2009 年 9 月被终止了成员资格，好比是没交保护费老大就不管了。

除了英联邦，还有一个"英联邦王国"的概念，指的是对世上现存的 16 个奉英国君主为国家元首的君主立宪制国家的专称，包括加拿大、澳大利亚、新西兰、牙买加、所罗门群岛等等。由于在法理上，英国和澳大利亚共用一个君主，因此澳大利亚总督实际上就是澳大利亚的国家元首，而总督又需要澳大利亚总理提名、英国君主任命的。不过这也只是名义上的，因为从 1931 年英国承认各自治领的独立地位以来，君主就没有拒绝过对澳大利亚总督的提名。其实想想，英国女王在忙活这些形式主义工作的时候，应该是很心塞的吧。

澳大利亚有一个特别有意思的特点，别的国家都没有。什么特点呢？估计很少有人能注意到，澳大利亚居然是全世界最爱参与战争的国家。如果仔细统计一下，你会发现，澳大利亚几乎参与了近现代的所有战争，虽然没有一场是他发起的。

这听起来挺逗的，说他是个好战国家吧，他没发起过战争，说他不好战吧，他又“无役不予”。这是澳大利亚的民族性格特别有意思的地方。前边我提过，澳大利亚人有两个重要的日子，一个是国庆日，就是他们成为殖民地那一天，还有一个，就是他们的ANZAC Day。A就是Australia（澳大利亚），NZ就是New Zealand（新西兰），AC就是armies corps（军团），Anzac翻译过来就是“澳新军团”，ANZAC Day就是“澳新军团纪念日”。这个纪念日纪念的是“一战”中一场大规模的登陆战，叫加里波利战役，是在土耳其打的，而且打败了，惨败。你看，这个国家的国庆日不是独立日，而是被殖民日，最重要的纪念日不是战胜日，而是战败日，这个国家太有意思了。

澳大利亚这片大陆毕竟发现得晚，人口一直都很稀少，最早的一批大规模移民就是那十几万囚犯，后来，1851年，墨尔本发现了金矿，淘金热兴起，一下子来了几十万人。人口就这样缓慢地增长着，后来人口终于过了百万，澳大利亚才显得有了那么一点点实力。这时候，澳大利亚可能是觉得，在国际事务中我总算可以为帝国做点什么了吧？这反映出澳大利亚的两种心态。一种是老觉得自己出身低，人家北美殖民地的人都是因为宗教原因跑过去的，我这儿的人却都是囚犯以及底层人的后代。现在好不容易发展起来了，就总想做点事情证明自己。第二种心态就是，无论是在地理方位上，还是国际影响力上，他都觉得自己太偏远，没有什么存在感，所以老想跳出来表演表演，让国际社会都别忘了还有我这么一号。所以凡是大英帝国参与的战争他都想参与，叫“无役不予”。

从 19 世纪末开始，他刚刚有点实力，还没有独立成为联邦的时候，他就开始跟着大英帝国去各殖民地打仗，从埃及开始打，然后南下苏丹，紧接着就是在南非跟荷兰人后裔打的第二次布尔战争。在出兵支持英国打布尔人的同时，澳大利亚还参与了另一场我们很熟悉的战争。什么呢？就是我们所说的“八国联军侵华战争”。其实叫“八国联军”不太准确，因为一开始在大沽口登陆的时候，还是“八国联军”，但打到一半的时候，实际上变成了“九国联军”。因为 1901 年 1 月 1 号，澳大利亚忽然独立了，成为了一个独立的联邦，独立的自治领，成为一个国家了。澳大利亚当时派的兵不少，两

八国联军侵华期间，在紫禁城午门前的澳大利亚士兵

个最强的州维多利亚州和新南威尔士州都派了陆军，还有一个州派了一艘军舰。英国指挥官这个高兴啊！为什么呢？英国的主力部队都在南非跟布尔人打呢，这时候八国联军侵华来了，英国指挥官一看，我怎么这么丢人啊！人家国家都是自己本土兵，俄国人都长俄国样，德国兵长德国样，可我的部队却不是英国样，既有新加坡军团，又有香港军团，还有印度军团，甚至还包括一支来自山东威海的华勇营。那时候还有种族歧视，所以英国指挥官怎么看怎么别扭，总觉得自己怎么统治着一帮有色人种呢？所以当澳大利亚军队大老远来帮忙的时候，英国指挥官太高兴了，心说我们终于有正儿八经的英国军队了，说的是英文，长的也是白人样，这下顺眼多了。

现在看回过头来仔细看当时的历史，澳大利亚人显得挺可爱的。他们的军队刚出发时拿的武器实在不咋地，都是些破枪破炮。等到了香港，英国人一看，说你们的武器怎么这么破？还是留下吧，用点新东西吧！就给他们从香港换了崭新的武器装备，而且明说了是借，等打完仗再给还回来。拿着新武器到了中国，澳大利亚人傻眼了，原来中国清军的装备比他们新换的还好！这不是瞎话，实际上当时八国联军的装备跟清军不相上下，甚至有些国家的装备还没清军的好。八国联军在大沽口登陆以后，打开天津军火库，都傻了。那里边有数万支当时世界上最先进的毛瑟枪，几十门最先进的克虏伯大炮，摆在里边没人用。八国联军一看，说那干脆让我用算了。这么好的武器都便宜了敌人，你说清军不打败仗谁打败仗呢？

澳大利亚人还有一个可爱的地方。这些澳大利亚的军人，从没出过国，不知道其他国家什么样的，心说咱们出去了别给祖国丢人。当时澳大利亚的军队还没有统一的军装，于是他们出发时，每个人带了好几尺布，预备着到香港看看其他国家的军装都什么样的，参照着给自己现做套军装。所以说，澳大利亚的军队是到了中国以后才有的自己的军装。我看过一些澳大利亚军官的回忆录，他们回忆说，美国的军装既干净又漂亮，但最羡慕的军队是德国军队，德国军队纪律好、庄严且有效率。德国军队有效率到什么程度呢？有一个气人的例子。说是德军抓到拳匪以后，就让拳匪挖坑，挖好以后，在坑前跪成一排，一律枪毙，拳匪就掉坑里去了，直接掩埋。

虽然澳大利亚军队来到了中国，但没跟清军直接交过火，因为他们在香港又做衣服又换武器的，给耽误了。何况这场战争也根本没打多长时间，八国联军一来，东南各省就直接跟各国签订中立条约了，表示不接受慈禧的"乱命"；人多势众的拳匪其实也打不了什么仗，十万拳匪连有几十人把守的使馆和教堂都打不下来，更别说八国联军这些正规军了。所以等澳大利亚军队来的时候，已经没什么事了。联军司令部就说，要不你们来行刑吧，你们当警察维持秩序吧。于是这帮澳大利亚的士兵就负责行刑，就是把抓起来的拳匪统统枪毙。德国人最恨拳匪，因为他们的驻华公使克林德就是在北京大街上被中国人打死的，所以德国人要求行刑的时候不能枪毙，只能斩首。这下文明的澳大利亚人不干了，这些人在老家都放羊的，脾气都挺平和的，一听说要砍人脑袋，都摆手说算了，不参加了。不当行刑队了，澳大利亚人也没闲着，就跑到保定抢了点东西，兵荒马乱的，大家都抢嘛。这就是澳大利亚人跟中国人的第一次交手。

堪培拉有一个巨大的战争纪念馆，从外边看就像一个大坟包，供奉着历次战争中"为国捐躯"的澳大利亚军人的姓名，里边就有八国联军时期阵亡士兵的名单。名单上一共是六个人，可这六个人没一个是被中国军民打死的，其中五个是病死的，还有一个是得了精神病自杀了。

澳大利亚大老远跑中国一趟，打仗的本事却没怎么施展开来，未免有些失落。不过，十几年后，新的机会来了，这就是“一战”。“一战”刚开打的时候，也没谁就想着一定要把谁彻底打没了。不像“二战”，“二战”双方有着明确的正义非正义、侵略反侵略的区别。大家为什么参加“一战”？法国说，我跟俄国是同盟啊，俄国参战了，所以我要参战；英国说你德国干吗打我的保护国比利时啊，我也得打你……总之大家都没到就想把哪国给灭了的程度。澳大利亚远离欧洲，按理说没他啥事，可他一看英国参战了，跟打了鸡血一样，首相马上到议会做动员，说我们要跟着英国宣战，我们要去欧

1916 年 1 月 7 日，从加里波利战役中撤退下来的澳新军团

洲打仗，我们要为大英帝国打到最后一先令……人家都是准备打到最后一个人，他这儿不但是打到最后一个人而且还打到最后一先令，这简直是疯了。澳大利亚的表现太激动了，不但宣战，还立马把人家同盟国的侨民给抓起来了，这个可比较少见。"二战"时美国也曾关过日裔移民，但那是因为当时被日本打急眼了，一时间国内仇日情绪高涨，所以最后还是给日裔移民道了歉。

可现在人家同盟国又没打你，也没轰炸你，你澳大利亚咋就这么激动呢？

宣战之后，澳大利亚和新西兰就组织了一支军队开赴欧洲战场了。这支队伍就是前边说的ANZAC，澳新军团。到了欧洲前线，澳大利亚的军队还一度成为了一道风景，因为欧洲人都没怎么见过澳大利亚的白人，一看都说，这些人有点意思。

因为澳新军团的军服跟欧洲不一样，他们头上戴的都是那种宽檐卷边软帽，脚上穿的是那种茶色短皮靴，都是一副牛仔的打扮，一看就是远道而来的客军。抛开穿着打扮不论，澳新军团其实还是挺能打的，因为他们的士兵大多来源于囚犯、牧民、矿工这些底层人。澳大利亚首相的战争动员做得又非常有效，所以澳大利亚的年轻人参军特别踊跃，最后居然有40多万人报了名。要知道，澳大利亚全国的人口当时也只有400万人。这40多万人到了前线，主要是在中东地区帮英国打仗。

1915年，这支军队被调到了土耳其西部地中海岸边，打算在加里波利半岛登陆作战，谁也没料到这场战斗居然打了七八个月，而且澳新联军一直被同盟国军队压制在滩头阵地上，压根就没打进去。最后终于死心，撤

1942年2月15日，马来亚（今西马来西亚）英军总司令白思华向日军投降

了出来，清点过后，发现牺牲是非常惨重的，一共战伤二十余万人，战死近七万人。你想想，一个400万的国家，就伤亡了近30万人，这个伤亡比例应该算是很少见的。澳大利亚士兵的惨重伤亡没有白费，因为全世界都重新认识了澳大利亚这个国家。澳大利亚直到1935年才有自己的外交部，在这之前只是一个独立的自治领，并没有外交权。“一战”之后签署《凡尔赛条约》的时候，澳大利亚坚持要以一个独立国家的身份签字，鉴于他的浴血奋战，英国最后欣然同意了。当然，大家都知道中国没签字，因为国内闹五四运动，所以没签字，其实还有很多觉得对自己不公平的国家都没签字。澳大利亚作为重要的战胜国，当然愿意签字，因为签了字他就获得了德国的大片殖民地，像巴布亚新几内亚这世界第二大岛的一大半，都交由澳大利亚托管。

澳大利亚和中国的三次交手

到了“二战”，澳大利亚有一个很大的转变，就是从拼了命地跟着英国这个“母亲”混，改成了跟美国这个“大哥”混。为什么会有这个转变呢？因为关键时刻英国人的表现，让他们心寒了。1939 年，“二战”开打，德国在欧洲大陆一时间所向披靡，波兰灭亡了，法国投降了，比利时、荷兰、挪威统统完蛋了，就剩英国在苦苦支撑了。英国的支撑，靠的也全是加拿大、澳大利亚、新西兰、印度这些自治领。

熟悉“二战”史的应该知道，北非战场上跟“沙漠之狐”隆美尔打的都是哪些部队？是英印第七师，是澳大利亚第六师、第七师、第九师，是这些大英帝国的自治领派来支援的部队。这些自治领够义气吧？对英国够可以的吧？我对你这么忠心，你倒是想着点我呀！可是到了关键时刻，英国人的表现实在让人不敢恭维。

1941 年底，日本偷袭珍珠港的同时，也向东南亚进军了。日军一路势如破竹，一口气打到新加坡，澳大利亚急了。新加坡是大英帝国在东南亚最重要的战略堡垒，停泊着当时世界上最先进的两艘战略舰“威尔士亲王”号和“反击”号，还驻扎着十几万英国大军，澳大利亚还把精锐第八师也派到了新加坡一起防守。所以在澳大利亚人的心目中，新加坡港是无比强大的，坚不可摧的。结果做梦都没想到，守卫新加坡的英国贵族指挥官，居然没打多长时间就向日军投降了。当时丘吉尔在日记里写道：“这是大英帝国有史以来最大的一次投降。”紧接着，1942 年初，日本联合舰队在爪哇大海战中打败了由美国、英国、澳大利亚、荷兰组成的联合舰队，占领了整个印度尼西亚。

印尼几乎就在澳大利亚的脑瓜顶上了，而且爪哇海战的时候，日本还两次轰炸了澳大利亚最北部的港口达尔文港，所以这个时候澳大利亚都快疯了，慌作一团，说快点跟丘吉尔请示吧，赶紧把我们在北非战场上最精锐的第六师、第七师、第九师调回来，先守卫我们的本土吧！这个时候，英帝国主义的伪善面具就撕下来了，什么你是白人自治领，什么你跟我是一家子，我还是先保自己吧，于是坚决不放。为这事澳大利亚都跟英国急了，两边在电报里都骂起来了。最后双方妥协，第六师、第七师调回了澳大利亚，第九师还是留在了北非战场。

从这一刻开始，澳大利亚的心就算凉了，我这不行了，日本都打到我脑袋瓜上面了，你不但不派兵来保护我，还不让我把自己的军队调回来，你这算哪门子“母亲”？于是澳大利亚首相就公开发表了一个声明说，澳大利亚国策全面转向，跟大英帝国摆脱依赖关系，以后改为依赖美国。这个声明明显是在打母亲的脸嘛。从此，澳大利亚完全倒向了美国的怀抱。如果说“二战”的前半程，澳大利亚都是在北非、在新加坡帮英国打仗，那么后半程则完全变成了保家卫国。本来由于“一战”中在加里波利半岛的惨败，澳大利亚的年轻人都不太愿意当兵了，可现在的性质是保家卫国了，年轻人们又都踊跃地参起军来。

在这场保家卫国的战争中，澳大利亚打的最漂亮的战役是在巴布亚新几内亚。日军在“二战”中伤亡最大的三个地方里，巴布亚新几内亚排第三。日本人战死最多的地方是中国战场，关内大概战死 40 多万，加上关外“伪满洲国"战死的，有 50 多万人。日军战死人数第二多的地方是菲律宾战场，也有将近 50 万。排第三的就是巴布亚新几内亚了，在这个战场上日军被打死了 20 万。在巴布亚新几内亚战场上，澳大利亚军队发挥了重要的作用，因为在巴布亚新几内亚战场的头一两年里，澳军一直在独立作战。1942 年 1 月，日军偷袭珍珠港后不久，就发动了对菲律宾的突袭。很快，美国驻菲律宾的十几万大军在巴丹半岛弹尽粮绝，举旗投降了。美军的统帅麦克阿瑟却逃跑了，直接跑到了澳大利亚，而且在墨尔本受到了澳大利亚人民的热情欢迎。可能是澳大利亚人觉得西点军校的校长都来了，澳大利亚的安全肯定有保证了吧。我们的母国英国不管我们了，美国来管我们了，所以热烈欢迎。

太平洋战争初期的一段时间里，英军美军都被日军打懵了，没喘过气来，澳大利亚就独立承担了抵抗日军南下的任务。大家如果看地图，会看到巴布亚新几内亚的南边有一个大港口，叫莫尔兹比港。这个港口很重要，一旦被日本占领，那战局就完全不一样了。因为从莫尔兹比港起飞的飞机，能覆盖澳大利亚的整个东部沿海，如果日本飞机控制了这片领空，那美国就没办法往澳大利亚运送各种物资了。那样的话，澳大利亚就要被占领，美国也就失去了从西南太平洋反攻的大本营。当然了，现在我们都知道了，莫尔兹比港最终没有被日本占领，在这一战果上，澳大利亚军队居功至伟。除了澳军的顽强抵抗之外，日军的战略失误也是一个原因。

1942 年初，日军本来已经把巴布亚新几内亚的大部分都占领了，如果你趁着澳大利亚的军队还没从北非调回来，直接从陆路进攻，从那条后来著名的"科科达小道"进攻莫尔兹比港，完全可以很快攻下来。可是这个时候日军出现了重大失误，日本的海军开始吹牛了，在那儿说，你从陆路进攻多麻

在巴布亚新几内亚的泥泞中急行军的澳大利亚军队

烦，补给还困难，还是看我海军的吧，我去给打下来。结果可好，等到海军集结了舰队往莫尔兹比港进发的时候，遇到了美国的海军舰队，于是爆发了人类战争史上第一次航空母舰对航空母舰的大海战，这就是著名的珊瑚海海战。战斗结果是：日本两艘航母一沉一伤，美国虽然也被打沉一艘航母，却阻止了日军在莫尔兹比港的登陆，取得了战略上的胜利。

虽然珊瑚海海战遭到失败，可日本海军还是很强大的，如果它一鼓作气，再来一次登陆作战，莫尔兹比港估计也就打下来了，可日本海军却调头奔中途岛去了。这源于一件特小的事儿，电影《珍珠港》里提过这件事。珍珠港被日军偷袭之后，美军亟需鼓舞国内的士气，于是派了 16 架 B-25 轰炸

来自台湾的高砂义勇队成员在进行训练

机，从一艘航母上起飞，跑到东京上空，扔了几个小炸弹。其实这并没有形成什么威胁，但是日本海军觉得很没面子，觉得天皇被惊扰了。为了消除这种隐患，日本海军决定去占领中途岛，把战线整体向东推一下。这就是战略失误，在太平洋战场上，中途岛的价值远没有莫尔兹比港大。中途岛海战的结果，大家也都知道了，日本四艘航母被击沉，遭到惨败。日本陆军一看，你海军也不行啊，还得看我陆军的。于是这时候陆军才开始从巴布亚新几内亚的北岸出发，沿着“科科达小道”去进攻莫尔兹比港。这比原来计划的已经晚了四个月，澳大利亚的军队都已经调回来了。于是，一场太平洋战争中少有的残酷血战，在巴布亚新几内亚的热带丛林里爆发了。

巴布亚新几内亚地处赤道附近，全都是蚊蝇丛生的热带雨林，里面的小路根本就走不了车，日军和澳军都得靠雇用一些土著人或自己背东西。因此，补给一直跟不上，伤员也送不出去，根本没办法留俘虏，留着也是累赘，因此两边都开始杀俘虏。既然被俘虏了也是必死无疑，那还不如拼了，所以这场丛林战争打得极为残酷，经常要面对面拼刺刀，甚至近身肉搏，拿牙咬，拿铲子砍。

澳大利亚跟中国人交过三回手，八国联军是第一回，朝鲜战争是第三回，第二回就这次了。不是跟日军打仗吗？关中国人什么事呢？这就涉及到日军中一支特殊的部队了。日军中有一支善于丛林战的部队，由台湾的原住民组成，叫作“高砂义勇队”。这个话题在台湾到现在都还很敏感，你若是关注台湾新闻，可能会注意到这么一条，说是有个叫高金素梅的，天天跑到日本的靖国神社去抗议，说把我们高砂义勇队的牌位拿出来，不能在靖国神社里放着。

这个高砂义勇队是怎么回事呢？大家看过《赛德克·巴莱》这个电影吧？演的是雾社事件，即莫那·鲁道率领高山族人民反抗日本的苛虐统治，在原始丛林里打游击，给日本人造成了沉重打击。虽然雾社事件很快被镇压下去了，但也让日本人发现，这高砂族人（日语里管台湾叫“高砂”，管高山族统称“高砂族”）挺适合丛林作战啊。等到后来太平洋战争爆发，日本进军东南亚，发现这儿全是热带丛林，所以就开始从台湾的高山族征兵。高山族本来就对什么汉人什么荷兰人什么清朝人没感觉，也谈不上喜欢，他们又不会说汉语，现在被日本殖民了那么多年，就只会说他们本民族的语言和日语了。所以日本征兵的时候，居然有大批的高山族来应征，要为天皇尽忠去。

这事到今天都还有特别大的争议，台北县本来竖立着一座高砂义勇队的纪念碑，国民党掌权的时候就给拆掉了，因为上面全是用日语写的什么“为天皇尽忠”之类的话，你说这怎么可以呢，所以就拆掉了。台湾是民主社会啊，所以就有高山族对此表示抗议，说我们对自己历史和文化的认同就是这个啊，你不能强迫我重新认同啊！于是就开始打官司，闹。扯远了，回到巴布亚新几内亚战场。高砂义勇队来到了巴布亚新几内亚，就跟澳大利亚军队硬碰硬地打了起来。这次澳大利亚遇见的中国人可完全不是八国联军的东亚病夫们了，在高砂义勇队的打击下，澳军伤亡很大。

当然，打到最后，还是澳大利亚胜了。日军最后实在是补给跟不上了，弹药不够，粮食、药品不够，很多日本士兵都是饿死的、病死的。澳大利亚也牺牲了上万的士兵，这次可真是货真价实的为国捐躯了。1944 年，盟军开始反攻了。美国和澳大利亚大军先后有四五个师数十万大军在巴布亚新几内亚登陆，这属于西南太平洋战场的一部分。太平洋战争后期的战场分为两部分：一个就是由海军五星上将尼米兹指挥的，叫中太平洋战场，就是从珍珠港出发，一路打中途岛、硫黄岛、塞班岛、关岛，直到冲绳；另一个就是由麦克阿瑟指挥的西南太平洋战场，就是从澳大利亚出发，先是在巴布亚新几内亚歼灭了 20 万日军，然后继续向北，在菲律宾歼灭了 50 万日军，最后越过台湾，在冲绳一带两军会师。虽然太平洋战争中发挥主要作用的是美国海军，但是澳大利亚军队的功劳也至少要占到一半。澳大利亚军队在这场保家卫国的战争中，确实打出了自己的军威，打出了这个国家在世界上的地位。所以到了 1945 年 9 月 2 号，在东京湾密苏里号上，日本投降签字仪式上，澳大利亚大概是排在第五个签的字，仅次于美中英苏。

经过“二战”的洗礼，澳大利亚的外交完全转向了美国，跟大英帝国拜拜了。当然了，澳大利亚“无役不予”的习惯一直保留着，“二战”之后也是如此。我给大家数数，他先是跟美国去打了朝鲜战争，然后又去打了越战，后来海湾战争他去了，阿富汗战争也去了，伊拉克战争又去了，总之凡是美国参与的战争，他都去了。澳大利亚这个国家虽然没发动过一场战争，但每场战争都有他的影子，而且他还表现得特别努力。朝鲜战争期间，澳大利亚是极少数的陆海空三军都出动的国家，是跟志愿军正儿八经地打过几仗的。具体的作战经过，在中澳战史中的记载不太一样。我军战史中记载的就是 1951 年 4 月，第五次战役的时候，跟英国 27 旅在加平山谷打的时候，如何如何全歼了他们。关于这次战斗，澳大利亚军史记载的是，皇家澳大利亚团第 3 营怎么怎么顽强抵抗住温玉成一个师的进攻，最后成功掩护大军撤退。到 1953 年停战之前，两边互相敲打的时候，中国人民志愿军第一军和澳大利亚军队又打过七八次小仗，两边记载还是不一样，反正都说自己赢了。

总的来说，中澳军队在朝鲜战争中算是打了一平手。从八国联军时任其屠戮，到“二战”时与高砂义勇队的血战，再到朝鲜战争中的顽强战斗，澳大利亚总算知道中国人不是那么好惹的了。

咱接着说澳大利亚的“无役不予”。澳大利亚还跟着美国参加了越战，去的人还挺多，澳大利亚大概是出动了 8000 多士兵。最后统计下来，澳军的战绩和伤亡率等方面好像比美军还强一点。虽然跟英国这个“前母亲”关系没那么亲密了，但英国后来打的仗，澳大利亚还是没少去，看来真是打仗有瘾啊。澳大利亚又跟着英国去哪儿了呢？印尼、马来西亚、文莱，这些地方，去跟当地的共产党游击队打，你说这澳大利亚得有多忙活。

澳大利亚的“无役不予”，就反映了他的一个重要心态，就是老觉得自己出身低，老想证明自己。他很清楚，在世界舞台上，自己只是个配角。他也从来没企图演主角，但只有一个要求，那就是这“演员表”里得有我。当然最近几年，澳大利亚好像开始演主角了。当然这次不是打仗了，是在世界与中国的关系问题上，大家都不敢骂中国了，反倒是澳大利亚总跳出来，说你这不好那不对之类的。这些话以前都是从美国、加拿大、德国、英国、法国这些国家的嘴里出来，现在变成从澳大利亚嘴里出来了。

我觉得这其实跟刚才说的那种心态也有关，可能他就是觉得，反正我离你远，所以我不怕你，你能把我怎么着呢。其实现在中国已经成为澳大利亚的第一大贸易伙伴和最大的投资人，中国每年有大量的投资到澳大利亚去，澳大利亚的矿产也主要是中国在买。我想，面对中国，澳大利亚人心里其实挺纠结的，一方面觉得自己是白人国家，我们有普世价值啊，得离你中国远点；另一方面他又真的需要中国的钱，所以频频开放投资移民和旅游的限制，什么500万澳元就可以在澳洲买个大房子，什么拿多少钱来投资就可以移民，什么中国人来旅游可以刷银联卡……你看，这就是典型的“嘴上说不要，心里想的是不要停”。

面对来自中国的大规模投资和订单，澳大利亚估计也嘴硬不了几天了。骂中国这件事，我们都见怪不怪了，从美国骂、苏联骂开始，后来变成英国骂、法国骂、德国骂，现在又变成了澳大利亚、加拿大骂，估计再往后就变成斐济、汤加这些靠左边开车的英联邦国家骂了吧。作为一个自由主义读书人，我还是想多说一句：一个国家总被人骂，当然不好听，爱国主义嘛，人家骂你你当然会很不舒服。反过来呢，如果没人骂了，其实也不太好。因为一个国家总不能没缺点吧，一定是有缺点的。有缺点的话，如果旁边有人说你两句，比如在家里你老打孩子、你重男轻女、你打老婆，邻居们偶尔过来说你两句、拉拉架，其实也挺好的。如果你这缺点越来越厉害，还不听劝，谁都不敢管你了，一管你，你放狗咬人，这也有问题，也不行。因为到最后旁人没人管了，那就只能靠自己家人来管一管了。这话题我也就不多说了，你懂的。

澳大利亚的历史基本就这样，因为他的历史很短，不像欧洲历史可以讲三天三夜。可以这么说，澳大利亚的历史，就是一部可爱的、天天跟着出去打仗的战争史。当然，在澳大利亚的本土，一直都挺好的，安静，平和，发展得不错。

问答

Q1：英国人为什么把囚犯都弄到澳大利亚去？相对于关在本土的监狱，这种做法不是成本更高吗？

A1：确实，仔细想想，这么多囚犯，大老远运过来，确实要花不少钱，但该运还是得运，因为本土实在关不下了。英国是世界上第一个法治国家，但是18世纪的英国法治，还是很血腥的，那时候叫bloody code，即“血腥法”。“血腥法”的意思就是，甭管你轻罪重罪，甭管你是偷了一片面包还是偷了一块金子，反正一律都先给你抓起来，等着杀头，根本没有后来的什么陪审团。这样做的后果就是，监狱里人满为患，没地儿关了。怎么办？后来就关船上，英国不是海多船多吗？结果又导致船上疫病流行，死亡率高达30%。实在没办法了，说那怎么办？干脆，运到殖民地去吧，让他们到殖民地去开发吧。其实中国过去的“刺配”制度也是这意思，就是让犯人去开发边疆，因为这些犯人可以把耕种、织布等技术带过去。

英国的殖民地太多了，离本土都很远，条件又艰苦，死亡率也不低，所以人们都不愿意去殖民地，能去的就只有囚犯了。以前都是送到北美的殖民地，但是1783年北美殖民地独立了，人家成立了自己的美利坚合众国了，不要你囚犯了，所以这些囚犯就改送到澳大利亚去。于是就有了1788年1月26号，第一批囚犯登陆澳大利亚的一幕。这批囚犯是澳大利亚的第一批移民，于是这天就成了澳大利亚的国庆日。在差不多八九十年的时间里，澳大利亚来了十几万囚犯。最开始他们主要是集中在悉尼所在的新南威尔士州，后来在墨尔本发现了金矿，有了所谓的gold rush，淘金热，中国人也来了，什么人都来了，澳大利亚这片大陆就逐渐发展起来了。

CHAPTER01

第六章

梦露之死与共济会

提示

肯尼迪当选美国第35任总统的那天，听着收音机里的广播里，他们俩的父亲不约而同地跟这两个孩子说，肯尼迪绝对做不完这一届总统！听了这句话，我身上的鸡皮疙瘩都起来了。»

这一章咱们专门讲六个人的八卦。这六个人之间的关系那可叫一个错综复杂。都有谁呢？第一个，美国前总统约翰·肯尼迪，美国历史上最帅的总统，也是著名的花花公子。因为他们一家子都叫肯尼迪，为了讲述方便，我们接下来说的“肯尼迪”，专指这位前总统。第二个，是肯尼迪的弟弟，罗伯特·肯尼迪，因为美国人都习惯称他为“鲍比”，所以我们也管他叫“鲍比”。第三位，就是举世闻名的大美女玛丽莲·梦露。第四、第五位，是肯尼迪的老婆杰奎琳·李·布维尔以及她的妹妹卡罗琳·李·布维尔，前者我们就简称为杰奎琳，后者就简称为李吧。这就出现仨女的了，还差一个男的，就是希腊船王亚里士多德·苏格拉底·奥纳西斯。我没说错啊，他真叫亚里士多德·苏格拉底·奥纳西斯，这是因为他父母给他起名字时希望他以后能够出人头地。

我为什么说这六个人的关系错综复杂呢？三男三女，照理说应该能结成三对，对吧？可是这三男三女不一样，居然组成了七对！他们之间可没有男男或者女女的关系哦，所以大家想想吧，这得是一个多么香艳的故事。

未见史载的“六角恋”

从哪儿讲起呢？还是从我的亲身经历讲起吧。我在美国洛杉矶有很多朋友，上至各种主席，下至普通士兵，各行各业、各种年龄段的都有。有一天我就去一个女性朋友家，她家住在一个非常神秘的地方。你要是在洛杉矶开车，开十年也开不到那地方去。因为那地方虽然就在洛杉矶的市中心，但你根本就看不到，你必须得坐直升机，从空中才能看到它。这么个神秘地方，我这朋友就带我去了。一进去吓我一跳，嗬！在洛杉矶住这么多年，我都不知道这个地方还有一个湖。往湖边一看，贾斯汀·比伯在那儿跑步呢，身边还有四个保镖跟着。

进了朋友家的家门，我一看这门后怎么还有把剑啊？要是在欧洲，门后挂把剑很正常，因为欧洲有很多贵族，都是有爵位的，有在门后挂把剑的习惯。可美国没有贵族这一说呀，尤其是在西海岸，在加州，大家还对贵族什么的嗤之以鼻呢。所以我就问她：“你们家怎么还挂把剑啊？有什么寓意吗？”她说这剑叫 Freemasonry 剑。我一听都傻了：“你们家就是传说中的

法国拉法叶侯爵佩剑上的共济会标志

由圆规和曲尺组成的共济会代表性标志

Freemasonry？共济会？”Freemasonry 就是共济会，当然你直接说 masonry 也可以，但是 masonry 还有石匠、泥瓦匠的意思，所以咱们还是标准点，叫 Freemasonry 吧。共济会，我可是如雷贯耳很多年了，像《达·芬奇密码》这样的电影经常提的，这回终于看见真的了。我还仔细看了看那把剑，上面确实有一个和美元背面一样的金字塔，金字塔里边有一只 All-seeing Eye，可以叫“全能之眼”吧。

于是我就对他们家产生了极大的兴趣。我说：“原来你们家是共济会成员啊？”她老公说：“不但她们家是，我们家也是，我们两家都是共济会成员。”然后又过来了一个朋友，冷冷地说：“我们家也是。”经过深入交谈，我才知道，原来这三家不仅仅是共济会成员，而且都是顶级的。大家如果去美国，可能会注意到有的人衣服上写着一个33。这是什么意思？是33号，还是33岁？都不对，其实33是共济会最顶级的一层。大家知道，很多秘密社团，都有层级的划分，就像武侠小说里说到丐帮，会有九袋长老、五袋弟子之类的说法。人家共济会也是，而且最高是33级。我这三位朋友说他们的父亲都是32级，基本接近顶级了。

我都惊呆了，说今天可算开了眼界了，来洛杉矶这么多年，第一次见到这么多共济会成员，而且级别还那么高。完了他们带我出去吃饭，计划去好莱坞大道，就是明星按手印的那条大道上，说那儿有一个80年的英国老饭馆很有名。一出门，发现他们居然有自己的Limo，就是加长型轿车。大家知道，美国人坐Limo通常都是租的，他们家居然自己就有一辆，这我还是头一回见。

吃完饭往回返，Limo行驶在漆黑的山路上，里面亮着昏暗的灯，照得大家的脸都是那种青绿的。我忽然想起了一个困惑已久的问题，就问他们："既然你们的父亲都是32级的共济会会员，那我能问你们一个问题吗？就是这个前总统肯尼迪，到底是谁杀的？您们知道吗？"对面这夫妻俩看了我一眼，说："好吧，既然你问我们了，我就跟你讲一个我们小时候的故事吧。"

肯尼迪当选美国第35任总统的那天，听着收音机里的广播里，他们俩的父亲不约而同地跟这两个孩子说，肯尼迪绝对做不完这一届总统！听了这句话，我身上的鸡皮疙瘩都起来了。我说，原来真有这个阴谋论啊？然后我就接着问各种问题。我说林登·约翰逊，就是肯尼迪遇刺后继任的总统，是不是共济会的？他们说当然是。那谁谁谁是不是？当然也是。我一听，脑子里顿时陷入了共济会的汪洋大海。最后我问："那到底为什么要杀肯尼迪呢？"杀人总得有个理由吧？结果他们只跟我说，this is Karma，这就是一个报应，具体为什么是报应，他们就顾左右而言他语焉不详了。

好，我这个亲身经历，只是一个引子，是为了引出肯尼迪家族的故事。肯尼迪家族是美国政坛上能数得出来的大家族。去年大家在玩“冰桶挑战”的时候，是谁挑战的奥巴马来着？还记得吗？就是肯尼迪家族的一位 80 多岁的老太太，自己泼了冰桶，点名挑战奥巴马。奥巴马被逼的没办法，最后说我不能泼冰桶，我就捐一百块钱吧。其实点名挑战奥巴马的人有很多，奥巴马只回应了这个老太太，可见肯尼迪家族的成员虽然死得七零八落了，但在美国还是有着强大的势力的。

肯尼迪家族并不是政治世家，从肯尼迪的爷爷那时候才白手起家。肯尼迪的爷爷很有远见，想让孩子们投身政治，但从政首先要接受良好的教育，于是就把孩子送进了哈佛大学。肯尼迪的父亲约瑟夫・肯尼迪从哈佛毕业之

富兰克林・罗斯福

约瑟夫・肯尼迪

后，也立志从政。可是在美国，要想从政，首要条件就是得有钱。钱从哪儿来呢？恰好当时正值禁酒令时期，我之前讲美国史的时候多次提过禁酒令。约瑟夫·肯尼迪就去了芝加哥，和当地的黑帮老大萨姆·基恩卡纳合作，俩人一起卖私酒。萨姆·基恩卡纳是意大利人，美国黑帮江湖上一般都叫他的绰号 momo。约瑟夫·肯尼迪靠卖私酒发了大财，挣了第一桶金，决定好钢用在刀刃上，用这笔钱作为政治投资。结果还真看上一个人，这个人的名字我们都很熟悉了，叫富兰克林·罗斯福，后来成为了美国在任时间最长的总统。

约瑟夫·肯尼迪决定资助富兰克林·罗斯福竞选总统，最终还真当选了。当选之后，当然有回报了，说那你去当官吧。所以肯尼迪家族的真正高官是从肯尼迪他爹这一代开始的。当了一个什么官呢？SEC，就是美国的证券交易委员会主席，相当于我们这儿的证监会主席，权力很大的官。后来他又到英国当大使，这可是美国外交官里最最重要的位置了。因为那时候英国还是大英帝国，比美国只强不弱，所以驻英大使的地位是极高的。肯尼迪于是就跟着他爸爸约瑟夫·肯尼迪去了欧洲，这对肯尼迪来说是很重要的经历。在欧洲期间，肯尼迪还立过一大功，他帮美国驻德大使把一张便条捎到了伦敦，交给了他爸爸。便条上只写了三个字母——WAR，所以说第一个向美国报信说德国要发动战争了的就是肯尼迪。

立了这么一个大功之后，肯尼迪就去参战了，是怀着爱与凄楚去参战的。为什么这么说呢？因为他刚刚经历了一份破碎的爱情。他跟父亲去欧洲之前，本来爱上了一姑娘，结果等他从欧洲回来，这姑娘已经嫁人了，嫁给了一个畅销小说作家。你说我的初恋嫁给一个没名的人也就算了，可偏偏嫁给了一个畅销书作家。这不是刺激人吗？肯尼迪后来变得特别花心，估计就和这段刺激有关。初恋嫁人了，肯尼迪只好放手，没多久他又爱上一个女的。突然某一天 FBI 找上门来了，说你必须得跟她分手。肯尼迪问为什么？人家说你爱上的是一个德国女间谍。连着两次恋爱都以失败告，可把肯尼迪给气坏了，一怒之下说："走！投笔从戎，上前线去！"

当然了，在美国你要想成为一个真正的政治家，就得尽可能找机会为国服务，那是必须的。尤其是遇到战争，你得去服兵役，必须要上前线。奥巴马没赶上战争怎么办？他就当律师，专门帮穷人打官司，这就叫积累政治资本。所以当时但凡有雄才大略的年轻人，都争着上前线打仗去。约瑟夫·肯尼迪一共生了九个孩子，四男五女。这四男特别重要，在美国历史里都是有名有号的。老大是他们家第一个离奇死亡的，本来被寄予了厚望，以至于名字都跟他老爸一样，也叫约瑟夫·肯尼迪。这位大哥和肯尼迪一样，都是参加的美国海军。大哥是美国海军航空兵，肯尼迪是一艘鱼雷艇的中尉艇长。肯尼迪的大哥死得特别蹊跷，他驾驶的飞机在没有任何战斗的情况下，居然爆炸了。老大还没有什么优秀的战绩，就直接成为了他们家第一个离奇死亡的人。

接下来，咱们的主角肯尼迪登场了。既然老大没了，自然而然就由老二接棒，肩负起了发展壮大肯尼迪家族的重担。上了前线的肯尼迪，表现得特别英勇。美国一共才 43 个总统，其中就有三十位上过战场，其中最英勇的两位就是参加过"二战"的肯尼迪和老布什。老布什是 1944 年驾驶战机轰炸日本时被击落了，幸好落在海里被美军的潜艇救走了，否则就被日军俘虏了，为此老布什还在 90 岁生日时跳伞庆祝。肯尼迪入伍后担任的是一艘鱼雷艇的艇长，在 1943 年一次日美海战中，肯尼迪负责的鱼雷艇英勇地冲在最前面，就跟甲午海战中邓世昌要撞沉吉野那个劲头类似，以至于鱼雷艇一下子被日本驱逐舰给撞成了两截。肯尼迪的艇上一共有13个人，其中两个士兵当场阵亡，11个人幸存，其中还包括一个被严重烧伤的工程师。肯尼迪居然用牙咬着那个工程师救生衣的带子，游了好几个小时，带领全体艇员游到了一个小岛上。把大家安置好，他又带着副艇长跳下水去，游到最近的一个岛上去搬救兵，最终把这11位艇员全都救了下来。

因为战场上的英勇表现，肯尼迪退役之后的仕途一帆风顺。29岁当选国会议员，30岁当选州参议员，此后一路青云直上，直到43岁成为美国历史上最年轻的总统。随着地位的上升，在私生活上，肯尼迪就开始胡来了。当时也没有互联网，所以肯尼迪多年的荒淫生活一直都没有被爆出来。

荒淫到什么程度呢？就是差不多每天都要搞女人。有时候举办舞会，杰

1943年，在PT-109鱼雷艇上的肯尼迪

奎琳还在那儿跳华尔兹呢，他居然就能拉个姑娘上电梯走了，二十分钟以后再回来。肯尼迪当选了参议员之后，就长期住在华盛顿了，他在华盛顿的五月花饭店里，长期包了一套房。干吗用呢？就是方便他胡搞用的。他那都不叫婚外情了，有点病态了，就是每天都得跟女的睡觉，甚至有时还举办裸体派对。后来有心理学家分析说，肯尼迪家族可能有这么一种遗传病，所以他每天都得搞女人；还有人分析说，是不是他的压力过大呢？可问题是，参与肯尼迪荒淫生活的，不仅仅是他自己，还有他的弟弟罗伯特·肯尼迪，即鲍比，以及他老婆的妹妹李。

咱们回过头来说一下杰奎琳和李这对姐妹。这对姐妹的家庭家道本来不错，结果她们的爸爸又赌又嫖又抽又喝，最后就破产了，她们的妈妈也改嫁了。家道中落这一过程对这俩孩子的影响是非常严重的，因为体会到生活的辛酸了嘛。这种家庭的女孩，从小就被母亲教育说，一定要抓住有钱有权的男人，要找比你们岁数大的，越大越好，越大你们越能弄住他。因此，这俩姑娘从小就整天想着嫁给什么样的男的能够往上爬。当然了，她们小时候家境还好的时候，也接受过相当好的教育。这杰奎琳小时候就属于那种面目冷峻，一看以后就能成大事的那种人。5 岁的时候杰奎琳丢了一回，她就去找警察了，让警察打一电话到她们家里说:“有一个小女孩在我们这儿，让我们打这个电话，但又不告诉我们你们是谁。听清楚没有？快来接她吧。”你看，刚刚 5 岁，杰奎琳就有了保护隐私的观念，不想让警察知道自己是谁家的孩子，以保护她那个以前还算有点名的家庭。大人们赶紧去接她，到了警察局，一看杰奎琳正在那儿跟警察问长问短问寒问暖呢，显得特别有大家气派，直逗得大家哈哈大笑。

1960 年 3 月，肯尼迪和杰奎琳在威斯康星州阿普尔顿的竞选活动

杰奎琳和李大概只相差 4 岁，这年龄离得近了就会有一个问题，即孩子们之间会有竞争感，互相比、较劲，看谁更优秀。这姐妹俩就较劲了一辈子，你找的男人比我的好，我一定要找得更好。最后俩人居然各逮着一条大鱼，是同时结的婚。刚结婚的时候，两家看起来还差不多。姐姐杰奎琳嫁的就是肯尼迪，那时候肯尼迪刚刚当上众议员。大家知道，众议员有好几百人，跟参议员还差了好多呢，参议员一个州就俩。妹妹李嫁了一个外交官，看起来也还不错，跟姐姐也差不多。没想到没过多久就不行了，这个姐夫肯尼迪很快就变成了参议员，还成了民主党最大的政治明星，最后还居然成了美国总统。这妹妹当然心里起急了，我这外交官老公哪辈子才能升上去啊？就觉着怎么着也比不过姐姐了，于是就跟那外交官离婚了，然后改嫁了欧洲的一王子。

这王子说来挺可笑，也不知道是哪国的王子。要知道，光这个前神圣罗马帝国，就有310多个小公国，每个小公国都可以有一个王子。问题又来了，李嫁了这王子之后还是不满意，因为这老公空顶着一顶“王子”的帽子，他没什么钱啊。于是这妹妹就又开始搜寻下一个目标了。突然有一天，李看见了一个人，不禁眼前一亮。谁呢？亚里士多德·苏格拉底·奥纳西斯，希腊大船王，人家当过世界首富呢！于是这个李就毫不犹豫地纵身扑进了奥纳西斯的怀里，跟人家眉目传情起来。这个人还能跟姐姐比一比，你嫁了世界第一有权人，那我找个世界第一有钱人，总算扯平了吧。这个李也是太嚣张，酒喝多了的时候，还跟自己的王子老公吹呢，说奥纳西斯一定会娶我的。她那王子老公说，等着瞧吧，我就不信了，人家会娶你。李最后到底有没有俘获这个奥纳西斯呢？咱们待会再说，先说一说姐姐杰奎琳和肯尼迪的日子过得咋样。

肯尼迪当选美国总统的过程是相当顺利的。肯尼迪是代表民主党参选的，他赢的共和党那哥们儿，就是几年后又卷土重来的尼克松。肯尼迪不仅年轻，长得帅，最关键是还会演讲，美国人民最喜欢听人演讲了。肯尼迪是美国有史以来最能演讲的总统，他还保持着一个纪录，就是一分钟能说多少个英文单词。肯尼迪的当选还有一个助力，就是强大的黑道支持，在这点上肯尼迪的老爸约瑟夫·肯尼迪起了很重要的作用。儿子要竞选总统了，老爸当然不能闲着，于是又去找了芝加哥的momo同志。毕竟肯尼迪当选了对自己也有好处，所以momo同志慷慨相助，出钱出力，还帮着去做工会的工作，因为得到工会的支持，民主党才能稳操胜券。工会稍有不服，momo就出动黑社会跟人家聊去，所以工会也支持了民主党。在一帮人的支持下，肯尼迪大胜尼克松，当选为美国第35任总统。

杰奎琳嫁了一个被妹妹妒嫉得要死的总统丈夫，心里肯定乐开花了吧？可惜不是，杰奎琳真心觉得不幸福。为什么呢？就因为前边提过的肯尼迪那毛病。自从肯尼迪赢得总统大选以后，就愈加放纵了。当选了总统，搬进了白宫，总得庆祝一下吧，可是肯尼迪庆祝的方式太疯狂。他在白宫里开了一场pool派对，大家一想就明白了，pool不就是游泳池么，你想那女的能穿什么？泳池里泡了一池子女的，有穿的有不穿的，男的们抽着雪茄，就跳进去挑人。肯尼迪可不是选上总统之后才这么放纵的，选之前就开始了。刚才不是说有momo在支持他吗？他居然就跟momo共用着一个情妇。这个女的表面上是他俩的信使，在他俩中间来回跑，传个话送个信什么的，谁能想到其实是干这个用的呢？如果当年也有互联网，肯尼迪这总统一年都当不完。那个年代资讯还没那么发达，根本没人知道这些事，也就没有被捅出来。因此，肯尼迪就一天到晚过着这种荒淫的生活，他可不知道，他的所作所为，都被共济会看在了眼里。

开头提到的六个人，已经出现了五个，还差一个，就是我们所熟悉的玛丽莲·梦露。

这六个人，应该说是来自三四个不同的阶级。肯尼迪兄弟和奥纳西斯当然是顶层阶级，杰奎琳姐妹是落魄的中产阶级，唯有玛丽莲·梦露来自于社会的最底层。梦露是孤儿，被叔叔带大，8岁那年还被叔叔强奸了。梦露刚到好莱坞发展时，正是casting couch（潜规则）在好莱坞最最流行的年代，当时好莱坞的糜烂可比今天的艳照门什么的厉害多了。据说那时候制片人的屋里，一般都会摆一张红色的沙发，就是专门用来casting couch的。不管男女演员，都恨不能脱了趴那儿，因为还有一些制片人喜欢男的。举个例子，当时有个女演员非常想演《飘》里的郝思嘉，但名气又不够，怎么办呢？最后她想出了一个主意，就是把自己脱光了，让人把自己钉在一个木箱子里，给制片人寄了过去。制片人收到这个箱子打开一看，居然出来一个裸女，说："我就是你心目中的郝思嘉。"那个时候的潜规则都到了这种地步，所以可以想见梦露在那个时代都经历了些什么。

梦露一生大概结了三四回婚，各种各样的人都试过。既有大作家、戏剧家阿瑟·米勒这样的知识分子，又有迪马乔这样的体育明星。后来觉得这些人都不行，就想找个真正能靠得住的，于是就傍上了肯尼迪。肯尼迪在赢得总统大选的当晚，居然就是跟梦露度过的。据梦露的身边的闺蜜反映，梦露多次讲过，她就从来没有达到过性高潮。想想也是，8 岁就被强奸了，十几岁刚踏入娱乐圈就一帮男的像苍蝇一样围着转，她能不厌恶这个事么？所以她就跟闺蜜讲，她的所有表现都是装的。那跟梦露演"对手戏"的肯尼迪呢，据跟他有过那事的妇女普遍反映，He is a quicky，就是"他时间很短"的意思。你说这俩人，一个没高潮，一个 quicky，在一块也不知道有什么乐趣。估计是因为"权力、地位、名声就是最好的春药"吧，只要你有了这三样东西，其他方面再差劲，也有很多女的就围着你转。默多克都那样了，不还是有很多女的觉得人家有魅力？

梦露傍上肯尼迪这个靠山时，都已经三十出头了。为了让两人的关系更稳固些，决定孤注一掷——逼宫。于是某一天的电视屏幕上，出现了这样的一幕：穿着一身香艳衣服的梦露，走到台前，尖声叫着"Happy birthday Mr. President"，给肯尼迪唱了一首生日歌，相当于把两人的关系告知天下了。这

1957年，玛丽莲·梦露在电影《王子与舞女》中

还不够，她把电话打到了白宫，找杰奎琳摊牌，那意思就是：我就跟你拼了，怎么着吧？杰奎琳这个生气啊，一个梦露就够令人生气的了，可是肯尼迪的表现也是非常差劲。当时恰好杰奎琳生下了一个早产儿，生下来没几天就死了。本来生孩子时肯尼迪就不在身边，等孩子死了以后肯尼迪才匆匆赶回来，对孩子连看都没看一眼，就只安慰了杰奎琳两句，就又走了，忙他的去了。肯尼迪就这表现，杰奎琳都快精神崩溃了。

肯尼迪怎么那么忙呢？他都在忙什么呢？要说肯尼迪光搞女人，不办正事，这真是冤枉人家了。肯尼迪大概是美国历史上赶上大事的“密度”最大的总统了，因为他虽然只当了三年总统，但赶上的无一不是大事。这里咱他帮着数一下：他赶上了“猪湾登陆”，然后直接导致了“古巴危机”这一美国历史上最重要的大事；他又赶上了修柏林墙；他还经历了马丁·路德·金的民权运动；整个阿波罗登月计划也是肯尼迪发起的；越南战争在肯尼迪当政时扩大了……所以你看，肯尼迪这短短三年，整天都在忙各种各样的事，天天琢磨着怎么跟苏联干，晚上还得跟各种女的睡觉，能顾得上家吗？

被诅咒的肯尼迪家族

这节咱们回过头来再讲讲凯瑟琳的妹妹李这条线。前边不是说李傍上希腊船王奥纳西斯了吗，现在人家已经跟那个王子离婚了，但奥纳西斯也没娶她，只是和她一起住在希腊。李还是讲点姐妹之情的，她这姐妹之情就是“只要你过得比我好，我就恨你嫉妒你；只要你过得比我惨，我就可怜你同情你”。所以这时候一看姐姐好惨啊，就打电话给凯瑟琳说：“姐，肯尼迪这个男人太坏了，别跟他在白宫待着了，你也来希腊散散心吧。”她就不说肯尼迪把她都给睡了。杰奎琳一听，也对，我这身心俱疲的，要不就去希腊放松一下心情吧。

结果肯尼迪一听就不高兴了，说：“你怎么能去跟那个奥纳西斯去一起混呢？这个人出身可没我们家高贵，而且名声不好，为了挣钱无所不用其极。我们正劝你妹不要公布跟他的关系呢，你怎么能也跟着去呢？”肯尼迪的老爸，杰奎琳的老公公，这个约瑟夫·肯尼迪，也帮着劝，说："这个奥纳西斯名声狼藉，千万别去，有损咱们的声誉。"还专门还给了杰奎琳100万美元，说："我们家对不起你，让你早产了。这钱你先拿着，你还是别闹了，消消气。"杰奎琳拿着这笔钱，虽然嘴上说着"还要接着闹"，其实心里还真听进去了，转过头来还帮着劝她妹妹："李，在肯尼迪当选下届总统之前，你千万不能宣布跟王子离婚了，更不能宣布跟奥纳西斯在一起呢。因为美国总统可不能有奥纳西斯这样一个连襟，对我们家的声誉不太好。"

你说奥纳西斯这人有那么次吗？其实真没有，只不过肯尼迪家族太高高在上了，太把自己当回事了。人家奥纳西斯的爸爸，可也是白手起家的，你肯尼迪的爷爷，不也是白手起家干起来的吗？你比人家发家早了一辈，就看不起人了？而且人家奥纳西斯也不是沾他爸爸的光，人家可是自己真刀真枪干起来的。奥纳西斯小的时候，他爸爸就已经拥有一支很大的船队了。可是奥纳西斯自己有志气，说不愿意继承老爸的财富，立志自己出去闯世界去。于是他孤身一人去了南美，很快就在阿根廷发了财，23岁就成了百万富翁。之前我多次讲过，在20世纪初的时候，阿根廷可不是弱国，而是世界第八大发达国家，相当于今天的澳大利亚、加拿大什么的，所以奥纳西斯就在阿根廷挣了大钱。

发财以后，地位就高了，奥纳西斯还跟阿根廷的贝隆总统及其夫人成了好朋友，据说他还跟贝隆夫人有一腿。以前我讲阿根廷的时候曾经提过，这个贝隆夫人可是个大美女，风情万种，比肯尼迪的夫人杰奎琳还要好看得多。贝隆夫人到今天还是阿根廷人民热爱的偶像之一。奥纳西斯结交的可都

亚里士多德·苏格拉底·奥纳西斯

是大人物，人家后来回到欧洲，不但跟丘吉尔是哥们儿，跟丘吉尔的大对头希特勒还是哥们儿，“二战”的时候人家两边都卖军火，你说这能不发大财，能不当上世界首富吗？奥纳西斯拥有一条世界最豪华的游艇，长99米。你要知道，游艇可不论吨位，只看长短，越长价格越贵，所以你说他这99米长的大游艇得值多少钱？

你说奥纳西斯这样又有钱人脉又广的人，肯尼迪非得看不上人家。可最终杰奎琳还是按捺不住，还是想去希腊去找她妹妹，要说她是想去找这奥纳西斯也未尝不可。肯尼迪最后也实在拦不住她，就叮嘱她说：“那你保证不上奥纳西斯那条船，我才同意你去。”看来肯尼迪心里也是明镜似的。最后杰奎琳就发誓保证不上那条船，肯尼迪才放她走。到了希腊，妹妹李接上她，说："姐，你可受苦了，让妹妹好好招待招待你吧。"于是两人就上了那条豪华的大游艇，杰奎琳早把丈夫的话抛到九霄云外去了。

为了欢迎杰奎琳的到来，奥纳西斯专门在游艇上摆了3000朵红玫瑰，还请了各国厨师、各种仆人，在游艇上伺候这姐妹俩。杰奎琳心情大好，对这奥纳西斯的印象大为改观。奥纳西斯会说四国语言：首先他是希腊人，所以会说希腊语；他出生于土耳其的伊兹密尔，所以他又会说土耳其语；他是在阿根廷发的财，因此会说西班牙语；第四个他会的，就是英语。奥纳西斯唯一的缺点就是稍微矮点，尤其是站在杰奎琳面前时。杰奎琳的身高大概有五尺九，我也不知道是一米几，反正我是五尺十，就是一米七八，你可以自

肯尼迪三兄弟于1960年7月的合影（从左到右：约翰、罗伯特与爱德华）

已换算一下。可是奥纳西斯只有五尺六，比杰奎琳要矮那么一头，再加上岁数也比肯尼迪大 20 多岁，所以显得又老多了。总之，奥纳西斯大概就这俩缺点。但是话说回来，老男人有老男人的好处啊！老男人最起码懂得照顾人啊，不像年轻人老跟你吵架老跟你闹啊！于是老男人奥纳西斯就给杰奎琳留下了非常好的印象。

时间很快到了 1963 年 11 月，美国总统竞选已经迫在眉睫了。杰奎琳要回美国了，因为她跟肯尼迪说好了，要回去帮他竞选下届总统。不但人回去了，还带回去了奥纳西斯送的满船的礼物，其中就包括一条价值五万美金的项链。那个时候的五万美金，至少相当于现在的 50 万美金。杰奎琳本来就是一个非常虚荣的姑娘，所以这些礼物就都收下了。本来白宫里她那衣橱鞋柜就装得很满了，这趟希腊之行，奥纳西斯让她的家当翻了一倍。老婆拿回来好多贵重的东西，肯尼迪居然都没问哪儿来的，估计也是忙得顾不过来了。肯尼迪只是催她："赶快走吧，咱上达拉斯拉选票去。"于是夫妻俩就上达拉斯了，后来的事情，大家就都知道了。在达拉斯街头，肯尼迪遇刺，身中两枪，当场身亡。

有关肯尼迪遇刺这事，一会儿讲共济会的时候再说，咱们还是先说八卦。对于肯尼迪之死，美国人民可是太悲痛了，因为他们特别热爱他。正是在肯尼迪的领导下，美国隐隐有战胜苏联的趋势。尤其是古巴导弹危机，硬是逼着苏联潜艇浮上了水面，逼着苏联商船让美国人上去检查，让苏联在全世界的面前丢了面子。因此大家都觉得肯尼迪特牛逼，都对杰奎琳同情得要死，当然了，他们可不知道背后杰奎琳受的那些苦。所以说这时候杰奎琳心里到底有多伤心？还真不好说。

大哥肯尼迪死了，就轮到弟弟罗伯特·肯尼迪即"鲍比"上场了。在肯尼迪的追悼会上，鲍比突然发现，这送葬名单里怎么还有奥纳西斯啊？这是怎么回事？李就说话了："我不得回来给我姐夫送葬啊？这是我男朋友，我带他来的。"按照美国的规定，总统葬礼的宾客名单，应该是由总统遗孀来决定的，所以实际上是杰奎琳把奥纳西斯给请到华盛顿来的。这就有点意思了，相当于这姐妹俩加上奥纳西斯三个人一块给肯尼迪送的葬。奥纳西斯从葬礼回去后，就开始跟李疏远了。这妹妹就是没有姐姐有头脑，杰奎琳可比李聪明得多，估计是因为妹妹从小被宠坏了，脑袋有点二了。李还一直认为自己能嫁给奥纳西斯呢，她可万万没想到奥纳西斯会跟她分手，更是做梦也想不到姐姐会横刀夺爱。

当然了，杰奎琳也不是这么快就跟奥纳西斯在一块了，跟她在一块的是谁呢？鲍比，她老公的弟弟，她小叔子。北京有句老话，叫"宁往大伯子上腿上坐，不往小叔子眼前过"。为什么呢？从心理学角度讲，这个嫂子吧，永远是小叔子的性启蒙对象，小叔子因为年龄的缘故，在青春期能频繁接触到的第一个非亲人的异性，就是他嫂子。而大伯子呢，是绝对不会跟弟妹有什么的，也绝不会对弟妹有非分之想，所以坐他腿上都没事儿。北京这句老话就在大洋彼岸的肯尼迪家族应验了。肯尼迪死了之后，杰奎琳跟小叔子鲍比好了有四年之久。

咱们接着说说梦露之死，梦露之死到现在都是个谜。到底是谁杀了她呢？我个人觉得吧，鲍比的嫌疑比肯尼迪要大，最不济也是哥哥下的命令，弟弟执行。因为毕竟梦露跟这哥俩都睡过觉，她还对外声称，要写本书，把她知道的事都写出来。先不说梦露掌握了多少机密，就冲着她的屡屡"逼宫"、想取代杰奎琳当第一夫人这事，她也不能活了。为什么我说鲍比的凶手嫌疑更大呢？是因为他的身份。鲍比可是肯尼迪这届政府里的司法部长，专门管着联邦的所有执法机构，你想想他能怕梦露的要挟么？咱们可以自行脑补一下鲍比怎么跟梦露说的：你想干吗？你个臭戏子，有什么了不起的？你还敢跟我们肯尼迪家族较劲？我弄不死你！所以说梦露十有八九是被杀的，不可能是自杀，全世界全美国也都是这么认为的。2014 年 3 月，美国加州本来要开一场重金拍卖会，拍卖的东西可是令人大跌眼镜，说是肯尼迪兄弟俩和梦露 3P 的录像带。当然了，关键时刻，这场拍卖会流拍了。估计背后就有各方势力的角力吧，有人要毁肯尼迪家，有人要救他们家，反正最后没拍出来。

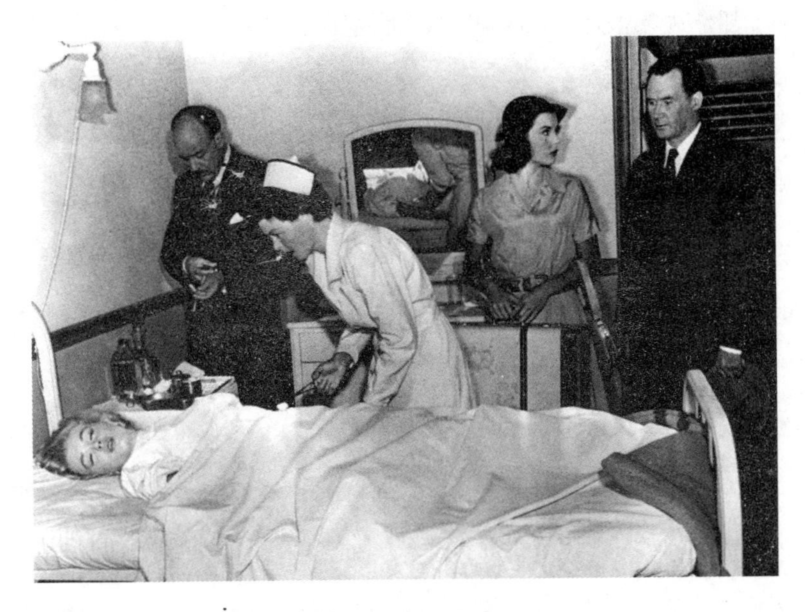

1962 年 8 月 5 日早晨，玛丽莲·梦露被发现死于家中

和嫂子杰奎琳好上以后，鲍比反而颓了，不积极了。当时鲍比可是有老婆的，既然你移情别恋了，你干吗还不离婚？鲍比还真不能离婚，因为他还要竞选总统呢！两个哥哥都没了，肯尼迪家族的总统之梦，自然又移到了鲍比的肩上。鲍比只要想选总统，就不可能离婚，因为美国还是很保守的。大家知道，美国从来没有离婚的总统，总统要是离了婚，影响不太好。欧洲就没有这方面的顾忌，连同性恋都可以当总统。美国就不行，连克林顿跟实习生莱温斯基的那么点事，美国人都受不了，更别说总统离婚了。

肯尼迪遇刺的背后，其实隐隐有共济会的影子。共济会为什么偏偏对肯尼迪家族"另眼相看"，欲除之而后快呢？最基本的原因，是肯尼迪家族的出身使然。一直以来，能当选美国总统的，都是 White Anglo-Saxon Protestant，即白种的盎格鲁－撒克逊新教徒；而且不为人知的是，肯尼迪之前的历任总统，80% 都是共济会会员。直到出现了肯尼迪，打破了这个"潜规则"。肯尼迪家族并不是新教徒，而是爱尔兰天主教徒。在美国生活过的人都知道，美国有一个圣帕特里克节，是所有爱尔兰天主教徒的节日，而肯尼迪爷爷的名字就叫帕特里克。所以说，肯尼迪既不是共济会成员，又不是新教徒，却当选了美国总统，相当于打破了一直以来的规矩。

更令共济会不能容忍的是，肯尼迪和鲍比这兄弟俩，居然还借着手中的权力，利用美国的国税局来打击竞选对手，甚至派人去监听对手的言行。监听对手这事，后来尼克松也干过，其实他早在跟肯尼迪竞选时就已经使过这招了，还曾揭露过肯尼迪的很多事，像什么肯尼迪身体不好、在白宫开裸体派对之类的。当然，多年之后，尼克松还使监听这招，结果把自己弄得被弹劾下台了。尼克松下台之前，说过一句意味深长的话，说我干过的事儿肯尼

罗伯特·F·肯尼迪

迪都干过，但人家肯尼迪家族势力大，就没事；我一老屌丝，没人保护我，所以我不服。

肯尼迪兄弟利用国税局打击对手，得罪了一大票人，尤其是共济会。共济会的势力可大了，当时的副总统林登·约翰逊就是共济会的32级高层，而CIA的头儿艾伦·杜勒斯、FBI的头儿胡佛更是共济会的顶级高层，33级。有一部电影《胡佛传》，小李子莱昂纳多演的胡佛，里面就提及了胡佛和司法部长罗伯特·肯尼迪即“鲍比”之间的斗争。

肯尼迪家族的家长约瑟夫·肯尼迪，明知道是共济会办了自己的总统儿子，但也没办法，不敢跟势力广泛的共济会斗。约瑟夫·肯尼迪还是非常有野心的，家族的从政之路不能就此停止，那干脆就让三儿子上，让鲍比继续在总统之路上奋斗吧。鲍比的能力也不差，1968 年 8 月，他就已经胜出了加州初选，有望获得民主党的总统候选人的提名，极有可能就是下一届总统了。结果在这个关键时刻，他也步了哥哥的后尘，被人枪击了，不治身亡。据传，鲍比的遇刺也是出自林登・约翰逊为代表的共济会之手。

1963 年，林登・约翰逊在肯尼迪遇刺之后从副总统任上“转正”，次年又以绝对优势战胜对手，正式当选为美国总统。现在很多人坚定地认为，以林

肯尼迪遇刺后，林登・约翰逊在空军一号上宣誓就任新一任美国总统，身边的杰奎琳还穿着沾满肯尼迪鲜血的那件外套

登·约翰逊为代表的共济会，才是肯尼迪遇刺的幕后黑手。可是那年可很少有人这么想，反倒是爱屋及屋，出于对肯尼迪的怀念，对他的副手约翰逊也有很大好感，所以大家都支持他，导致1964年大选，林登·约翰逊创下了美国总统选举史上最大的胜负比，在美国50个州里赢了44个州。除此之外，还有一个更重要的原因，就是共济会的支持。可能是因为心虚吧，共济会觉得，约翰逊必须当选，只有这样才能证明他是因为受人民热爱而不是靠阴谋诡计而上台的。所以在整个共济会的努力下，约翰逊大胜，只让对手共和党赢了6个州。

四年之后，1968年，约翰逊的任期结束。按道理来讲，约翰逊是有资格再参选下一届总统的，可这时候他居然去跟鲍比说："我不打算再参选了，你代表民主党去参选吧。"鲍比这时候要是脑子聪明点，就应该想，他们共济会一帮人虎视眈眈地看着我们家呢，既然人家都不选了，我也别选了吧。看来美国人还是《资治通鉴》看得少，我们的宫斗戏看得少，鲍比要但凡知道点八阿哥和九阿哥怎么死的、四阿哥怎么上台的，这个时候他就应该跟约翰逊说，我也不打算选了，让别人上吧。这才叫宫斗之术！结果鲍比可没想这么多，居然同意了，说："行，我去选。"你哥怎么死的，你忘了吗？你想想，人家真能让你上啊？你傻啊？结果，可怜的鲍比，步了哥哥后尘，也去了鬼门关。

到现在为止，肯尼迪家族的四个儿子，死了仨了，就还剩一小的，这就是后来当了50多年参议员的爱德华·肯尼迪，号称"万年参议员"。美国战后的参议院里最长寿的就是他了，他们那州都不用选，每回反正就是他。跟爱德华·肯尼迪资历类似的，还有一个人，就是夏威夷州来的井上参议员，一个日裔参议员，"二战"时为国战斗，少了一只胳膊。爱德华·肯尼迪是肯尼迪家唯一一个善终的，2009年才去世。

很多人说肯尼迪家族被人施了诅咒，所以成员死于非命的才这么多。还有哪些呢？肯尼迪的姐姐凯瑟琳是1948年死于飞机失事；鲍比的三个儿子里，一个因吸毒被判刑，一个吸毒过量死亡，一个死于滑雪事故；肯尼迪的儿子1999年也死于飞机失事。人们都管肯尼迪的儿子叫小约翰·肯尼迪，1999年他驾驶的飞机失事的时候，全美国人都认为是谋杀。因为他驾驶的是一架直翼飞机，是绝不可能掉下来的，掉下来也会滑翔下来，而不可能倒栽葱下来。这一定是被人使了手脚，因为有人怕他给他爸爸报仇。

肯尼迪家族特别擅于靠联姻上位，生孩子也多，所以虽然被杀了那么多，还剩下不少活跃在美国政坛上的成员。肯尼迪的女儿卡罗琳·肯尼迪现在是驻日大使；肯尼迪的妹妹尤尼斯·肯尼迪·施莱佛是国际残奥会的发起人，她生了一个女儿，嫁给了我们熟悉的施瓦辛格同志。这也是施瓦辛格决定从政时获得强大支持的一个原因。

咱们回过头来接着说肯尼迪的遗孀杰奎琳。杰奎琳本来打算继续拿鲍比当靠山的，没成想鲍比也死了，心说这可怎么办？我这俩孩子怎么办啊？我得再找一靠山，而且不能再在华盛顿待着了，这里的环境太可怕了。美国总统都敢杀，这得是一个什么样的组织啊？谁能保护孩子们呢？想来想去，那只能是老相好奥纳西斯了。1968年8月，鲍比被杀两个月后，杰奎琳嫁给了奥纳西斯。

其实，奥纳西斯除了世界首富、船王之外，还有一个更为显赫的身份，他是一个跟共济会有关的神秘组织叫光明会里的King，大boss！这光明会是什么组织呢？前边我不是讲过了吗，共济会的成员一共分为33级，而光明会就是一个全部由33级共济会成员组成的更小的组织，里边最大的头儿就叫King。现在大家知道为什么肯尼迪不让杰奎琳跟奥纳西斯接触了吧？他们时刻都提防着共济会的人，肯尼迪上台以后，先是坚定地换掉了 CIA 局长艾伦·杜勒斯，然后让鲍比出任司法部长，专门管 FBI，管着胡佛。

杰奎琳嫁了奥纳西斯就幸福了吗？也不幸福。奥纳西斯这种人，你想想，从南美倒腾烟草起家，还跟希特勒、丘吉尔都有交情，他怎么会有爱情呢？他娶杰奎琳无非就是为了面子，你们看，我娶的可是肯尼迪的老婆，这可是全世界最有名的女性。杰奎琳在当时的全世界，确实名声很大。肯尼迪还活着的时候，杰奎琳就经常去欧洲，欧洲因为她还刮起过一阵时尚旋风，就是杰奎琳穿什么，大家就穿什么，都觉得这是人家美国第一夫人穿的款式，好美好优雅哦。欧洲人给杰奎琳的穿着还专门起了个名字，叫 Jakie Look，因为杰奎琳（Jacqueline）简称为 Jakie。肯尼迪天天在外头花，本来就

奥纳西斯与杰奎琳

不爱搭理她，结果有一天在报纸上看到了关于杰奎琳的报道，说：“哟，没看出来，你在欧洲欧还成了 Sex Symbol 了啊！这么多人喜欢你呀！”你说这男人有多贱，外边人这么喜欢你老婆，你自己却还不珍惜。

奥纳西斯的心思就是，天下女的没有我睡不到的，连这样有名的女的都被我娶到手了，你们说别的女人还有什么我搞不到手的？“我们总统的遗孀居然嫁给了一个比她还矮一头的‘船老板’！”美国人民为此如丧考妣，伤透了心。奥纳西斯就是一个早已没有了心灵和灵魂的人，他生怕别人不知道他娶了肯尼迪的遗孀，就趁着杰奎琳裸体游泳的时候，雇了摄影师偷拍了她的裸照，还假装是狗仔队拍的，发给了媒体。这意思就是，我就玩你们，你们在我面前就什么都不是。直到奥纳西斯临死之前，才承认偷拍这事都是他干的。所以，你说杰奎琳嫁给奥纳西斯之后，她幸福吗？

开头提到的六个人，介绍的也差不多了，咱们再盘点一下，六个人怎么结成了七对。肯尼迪自己就配了三对，他跟他老婆、他小姨子、梦露这三个女人都有关系；鲍比是跟他嫂子以及梦露各算一对；然后就是奥纳西斯，跟这姐俩都有过，又是两对。

共济会的前世今生

关于共济会，我再详细说说。据说美联储的历届主席都是共济会会员。大家知道，美联储是个私营机构，大家想想，全世界哪个国家的中央银行是私营的呢？当然有个别欧洲国家是半私营的，但是像美联储这种完全由私人股东控股的、是国家的发钞银行的，全球独此一家。估计也只有共济会这样强大的组织，才能做到把钱上印上共济会的标志吧。美联储的强势背景，使得哪届总统都不敢招惹它，凡是招过它的，下场都不怎么好。近的有肯尼迪，远的有林肯。

当年美国内战，林肯总统为了打仗，需要大笔的钱，而钱都被共济会这帮人控制着（当然那时候还没有美联储呢）不撒手，而总统又不能自己印钱。这怎么办呢？林肯一怒之下，以银本位做硬通货抵押，印刷了一种叫 silver dollar 的票子来流通。而这之前，是金本位制，就是只能以金子做抵押印钞票。不久之后，林肯就遇刺身亡了。后来很多人就推测这跟他自己印钱有关。共济会最重要的成员罗斯切尔德曾经说过一句话："我不管谁当国家的总统，我只要知道是谁管印钱，就够了！"意思就是，印钱这项权力可掌握在我们手里，你们可谁也别碰，否则你就一边玩去！肯尼迪也是栽在这 silver dollar 上。有林肯的教训在前，肯尼迪还不吸取，又想印 silver dollar，又想施行银本位制，好绕开由共济会控制的美联储及金融体系。你说这不又招了人家一下吗？你既不是新教徒，又不是共济会会员，你还招惹人家，这不是找死吗？

美国的共济会成员有多少？没人知道。我还曾经听过这样的阴谋论，说"美国就是共济会在海外建的一个国家"。在过去，共济会在欧洲各国经常被排挤，经常被人妖魔化，尤其是想独裁的人，最恨共济会，因为共济会成员之间那种兄弟般的感情，让独裁者心里没底。其实共济会在欧洲也建过一个小国，叫圣马力诺。因为 manson 还有"石匠"的意思，所以圣马力诺又叫"石匠国家"。后来他们可能是觉得这国家太小了，就是山头上的一个小镇而已，

2009 年版
1 美元纸币的背面

想建立一个大的，于是就跑北美大陆建立了一个新的国家——美国。在今天，民主自由的观念已经深入人心了，大部分人都觉得“人人生来平等”。然而在美国刚建国的时候，全世界可是没有哪个国家是没有国王的，那时候要是没有了国王，估计下边的人都不知道该怎么生活了。你说怎么突然之间，在北美大陆上就出现了一个没有国王的国家呢？难道那里的人比欧洲人更有文化吗？当然不是，当时的美国人远没有欧洲人有文化。只有一种解释，就是在那里有一批精英，在灌输和执行“人人生来平等”的思想，这也解释了为什么美国的独立宣言和宪法，会与共济会的“兄弟平等”等原则这么相似。

我个人觉得，参与签订《独立宣言》的绝大部分代表，都是共济会成员。比如美国首任总统乔治·华盛顿就是，网上还能查到他加入共济会的画像呢。加入共济会是有仪式的，套着绳索、穿着裙子等等，而且裙子上有共济会的标志，就是金字塔加上那个 All-seeing Eye，全能之眼。当然了，共济会在欧洲也有很多著名的成员，像达·芬奇，像丘吉尔，像莫扎特。莫扎特为什么被杀？据说就是因为他在魔笛里透露了共济会的密码。法西斯可不是共济会，共济会是还比较温和的，它比较讲究道德信仰，讲究成员之间的信用，讲究大家一起为组织献身、为组织保密。

共济会成员之间还有一些有意思的暗语，为此我还问了那几个洛杉矶的共济会朋友。最后还真学到了一句："Is there no help for the widow's son？"翻译过来就是"没有人帮寡妇的儿子吗"。你看这句暗语多有意思，我还专门跟人试了一下，用微信问了我在洛杉矶华人圈里一个最好的朋友。这个朋友当年在中国还挺著名的，后来跑美国去了，还差点当了巴菲特的继承人。我看他老参加各种聚会，那种聚会完全不是行业内部的，而是什么行业的人都有，有商人、有将军、有电影人，各行各业的人都参加的聚会，我就猜这不会是共济会的聚会吧？于是那天我就用那句暗语试探他，我说："寡妇的儿子没人管了吗？"他就回了我一句："我不是。"

共济会的能量是非常大的。你想啊，他们居然能在刺杀肯尼迪之前，把总统特勤队调走，换上了达拉斯当地的警察。在警察提前搜索了所有街道的情况下，还能埋伏下狙击手。凶手被捕之后，居然还有一个人能手持手枪穿过数百警察，走到凶手跟前一枪把他打死，而且这个打死凶手的人当天也死在了监狱里。这还没完，到了 1975 年，我们前边提过多次的 momo 同志，实在忍不住了，想出来揭发 CIA 和 FBI 这些人在刺杀肯尼迪背后的阴谋，揭露肯尼迪遇刺的真相，结果他也被刺杀了。

大家要知道，肯尼迪那天遇刺的全部过程，在世界历史上都是罕见的。为什么这么说呢？比如凯撒遇刺，我们现在都知道是谁杀的，为什么杀他，完全知道前因后果。而刺杀肯尼迪呢？到现在也没有一个人知道真相是什么，没有留下任何证据，最后还为此组建了一个委员会，叫沃伦委员会。可惜这个委员会的全体成员都是共济会的，那他们最后得出来一个结论说“那哥们儿疯了，自己干的”，这也就是不奇怪了；而且那哥们儿当天就在监狱里被人打死了，所以最后还落了个查无对证。一个全世界最强大国家的总统被刺杀了，最后居然落了个“查无对证”的结果。当然，这一事件的所有文件当时都被封存了起来。按照美国的文件解密程序，应该是在 2013 年就该解密了，但是美国不但没有解密，还说需要再续个二十年，总之就是“不给你看”的意思。综上所述，除了共济会，应该没有任何一个组织，能强大到把这事儿封锁得这么严密。毕竟，美国的立国体系是三权分立，每个人都不能单独掌握强大的资源，单靠一个人的职务是做不到这件事的，一个副总统指挥一个 FBI 的头也绝对干不了这事儿，除非背后有一个庞大的组织在运作。

刺杀前一秒的总统专车，箭头所指处即为肯尼迪总统

关于共济会的厉害，我再给大家讲一件涉及我国的事。这事也是听我那几个共济会朋友讲的，是关于中国企业海外投资的。现在中国钱最热，全世界都欢迎中国钱去投资，我在这里也给大家提一个醒，千万别惹共济会！我国有一家巨大的互联网公司，我就不说是哪一家了，反正是如雷贯耳的，这家公司就得罪了共济会，所以遭到了“打击报复”。他们是怎么得罪共济会的呢？说是有一天，这家公司的大老板，把全世界最牛的五家公关公司，召集到一起，开了个会。他跟人家说：“我们公司要进军世界了，你们就帮忙做做品牌宣传呗。钱管够。”于是这五家公司就花了大量的钱，各自做了详细的宣传方案，再次来开会。

结果倒好，当天我们这位互联网公司的大老板自己没来，派了一个秘书来，说：“我们老板突然有事，来不了了。我把电话拨给他，你们在电话里向他汇报吧。”这五家公关公司气得当时起身就走了。要知道，在西方，除了银行这些行业，还有一行是共济会成员爱干的，就是公关和市场推广，因为你必须有强大的政府关系，才能做好公关。给我讲这事的仨哥们，其中有两个就是这五大公关公司里的，而且当天他俩都在现场。这五大公司的代表出来以后，非常气愤，就决定对这家互联网公司施以惩罚：一起出钱，在全世界黑中国的这家互联网公司！最后他们居然到美国国会去修改了一条法律，直接把这公司从美国轰走了，离开了美国市场。

这到底是哪家公司呢？我当然不能在这里说了。我就给大家提个醒：咱们虽然有钱了，但以后再到国外，趾高气扬的时候，说话不算数的时候，约会不去的时候，羞辱别人的时候，最好看看对方是谁，如果对方屋门的背后挂了一把剑，最好别招惹人家，否则可有你受的呢。

问答

Q1：您觉得美国最好的州是哪个州？

A1：不用说，当然是加州啦。不光加州人民这么想，绝大多数美国人都觉得加州最好。加州一个州的GDP就占了美国全国GDP的六分之一，洛杉矶县一个县的人口，若是放到美国各州人口排名里，就能排第九。如果把加州单拿出来，它也是排在全世界前几名的最发达的地区。加州北有硅谷，南有好莱坞，光这两样就够了。再往南有太平洋舰队基地，中间有最大的农业葡萄园，有最强大的航天工业，还有最强大的军事工业。可以这么说，美国全部精华的一半都在加州了，除了纽约人不喜欢加州，大家都很喜欢加州。加州是从平民草根变成富豪最多的地方，没有那些旧贵族的传统。不像纽约，在纽约你还得记两百个家族的名字，什么这家族那家族。北加州的硅谷富豪，都是草根出身；南加州的好莱坞，除了极少数的犹太人，也全是草根出身。所以我觉得加州最好，大家都平等自由。

CHAPTER 01

第七章

1913 年，“一战”前夜

提示

要说上个世纪的100年，真是人类历史上最“作”的100年，真应了那句话no zuo no die，多少人死于战争、死于人类自己的各种“作”。而这倒霉100年的开始，基本上是从1914年爆发的“一战”开始的，因此1913年成为科学昌明、文化灿烂、大师辈出时代的最后一年。》

当年的英德法，今日的美中日

大家都知道，2014 年是"'一战'百年"，按理说我该讲讲"一战"的。可我觉得吧，"一战"史是最乏善可陈的，因为"一战"实在是人类历史上最最愚蠢、最最血腥、最最儿童不宜甚至聪明人都不宜听的一场战争。它跟"二战"不一样，"二战"出现了那么多雄才大略的将领，打出了那么多漂亮的战役，确实值得一讲，可直接讲"一战"，确实没什么可讲的。那讲什么呢？我想了想，反倒是"一战"前夕的历史，即 1913 年的世界是什么样的，非常值得讲一讲，相信大家也会有兴趣。

现在我每想起 1913 年来，都会长叹一声。为什

么呢？要说上个世纪的100年，真是人类历史上最“作”的100年，真应了那句话no zuo no die，多少人死于战争、死于人类自己的各种“作”。而这倒霉100年的开始，基本上是从1914年爆发的“一战”开始的，因此1913年成为科学昌明、文化灿烂、大师辈出时代的最后一年。在工业革命的强大推动下，当时的整个世界，无论用的什么体制，都在迅猛地发展着。1913年的人，有点像刚刚度完蜜月的人，充满了那种快乐的气氛，似乎都觉得人生就应该这样一直美好下去才对。没有谁能料到，第二年世界形势就急转直下，进入无休止的战争动乱岁月了。人类的精神，人类的信仰，人类的一切，都从第二年开始彻底改变了。

讲历史就应该多跟今天做对比，看能对今天的我们有什么警示或借鉴。1913年的世界格局是什么样的呢？

首先，有一个特别强大的帝国，可惜正处于逐渐的衰落中，当然还没有彻底衰落，而且他也不觉得自己会衰落到底，这个国家呢，就是大英帝国。在1913年，大英帝国依然有着几乎横跨全世界所有时区的领土，依然有着最强大的军事力量。经济上除了一些工业指标以外，再加上所有的殖民地，总的来说英国还是不错的。但从经济占世界的比重来看，英国在逐渐衰落，在过去的年代里，英国的工业产值和对外贸易量一度占到过全世界的将近50%，现在却已经下降到20%左右。英国这时候虽然有点紧张，但也还没到去跟人干一仗的地步。大英帝国对应着今天的哪国呢？我就不用说了，大家都知道。

1913年的世界，还有一个急速膨胀的老二，就是德国。德国是一个1871年才统一的国家，之前一直是分裂的状态，由300多个小国构成，在形式上被一个跟我们周天子差不多的神圣罗马帝国统治着。拿破仑之后，这 300 多个小国又合并成了 30 多个大点的小国。直到 1871 年普法战争，这些小国里最厉害的普鲁士打败了法国，才正式建立了这个德意志帝国。

经过 40 多年的迅猛发展，到 1913 年，德意志帝国的实力已经居世界第二，大有超过英国的架势。但因为殖民地不够多，所以跟英国比还差那么一点。既然是老二嘛，所以就想跟老大聊聊，有点虎视眈眈的意思了。当然了，这老二也还没到准备用战争手段跟老大来聊聊的地步，毕竟当时这世界还是要靠工业、科技和文化来竞争嘛。与德国相对应着，现在也有一个老二，相信我不说大家也知道是谁。

当时的世界老三是谁呢？就是跟老二有世仇的法国，在普法战争中法国

世界上曾经被大英帝国统治过的地区

被德国打败，还赔了款，还老被要求道歉。对比今天的世界，老三是谁呢？这个就更好猜了。

所以，1913 年的世界，基本上就是这样一个格局。这时候，老大，英国慢慢发现一个问题，自己已经在衰落了，却还有很多义务要尽，而尽这些义务就要花很多钱，所以英国就有点意兴阑珊。这个感觉，跟今天的老大美国很像。既然你当着老大，首先，这世界正义得由你来主持吧？英国不但要管自己家的事，像去南非打个布尔战争、平息下爱尔兰的独立运动，还要去管别国的事，说日本把中国欺负得太厉害了，得去管一管，德国太厉害了，也得去管一管。总之，全世界哪儿出点什么事，英国都得去管管。因为，作为老大，必须时刻在道义上表达自己的正义感，如果不表达这个，你就是再强大，全世界也不服你。

除了到处去管具体某国的事，英国还花了很多钱和时间，到全世界去搞废奴运动。其实贩卖黑奴这事儿，最开始就是英国先干起来的。这废奴运动他怎么搞的呢？首先，他派舰队到西非海岸去阻止奴隶贸易，而且一去就是 50 年；其次，他自己先通过法律，在整个“日不落帝国”境内，率先废奴。怎么废奴呢？由英国政府出钱，给所有奴隶赎出了自由身。所以说，在 19 世纪的废奴运动中，英国还是起了主力作用的。除此之外，英国还在“日不落帝国”境内的各个殖民地推行议会政治，宣扬人人平等的思想。总之，英国那时干的事，就跟今天的美国一样。美国以前也是干了好多恶心事，现在既然当老大了，就得主持正义了，每年出个报告，说世界哪儿又侵犯人权了，得需要他去管管。

干这些主持正义的事花了很多钱之后，英国慢慢发现自己有点撑不住了。英国眼看着旁边这个老二，德国，在各项工业指标上，像钢铁产量、煤炭产量、铁路里程，都开始全面超越自己了。这很像今天的中国，除了 GDP 还是第二，其他多项经济指标都不知不觉地排到世界第一了。德国一看自己有超越老大的趋势了，就想着，我是不是有资本在全世界跟你好好聊聊了呢？于是德国便开始去全球大肆开拓殖民地，像中国的青岛、太平洋上的加罗林群岛等等。

在这儿我插一句。英国也好，法国也好，德国也好，他们当时的殖民地跟大航海时代的殖民地，地理范围是完全不同的。大航海时代叫“发现新大陆”，说那地儿没人，我上去插一旗子，那地儿就是我的了。这是第一轮殖民高潮，西班牙、葡萄牙占的是拉丁美洲，英国占的是北美等等。但是他们在这轮殖民高潮中占领的那些殖民地，后来都慢慢独立了，到 19 世纪末，基本上都成独立国家了。第二轮殖民高潮，是在第二次工业革命以后兴起的。

第二次工业革命的影响，可是远远超过第一次工业革命，全部都是大机器生产，能源上石油代替了煤，生产效率得到了四百倍、五百倍的提高。这就带来了巨大的工业产量以及庞大的市场需求、劳动力需求等，这才导致了 19 世纪后半期掀起的第二轮殖民高潮。这时候出去殖民都开始用洋枪洋炮了，像英国就跑到中国来打了一次鸦片战争，把我们都给打懵了。因为这次殖民热潮起来得晚，所以 20 世纪初的时候，英法的殖民地也才拿到手里几十年而已。

这时候，老二德国也想在殖民地上分一杯羹了，却发现一个重要的问题，今天的老二同样也面临这个问题，就是发现自己的殖民成本要比老大高得太多了。为什么呢？老大毕竟纵横世界很多年了，虽然新的殖民地也是近几十年弄来的，但加拿大、印度、澳大利亚、新西兰这些可都很早的了。老大已经运营这些殖民地好多年，现在人家已经不靠打仗杀人去运营了，而是找到了一套更好使的方法。比如在殖民地先推广上帝，再推广民主，进而把自己的各种文化给塞进去。这套成熟的殖民方法，让老大治下的殖民地百姓，就觉得生活也还行啊，挺好的呀，也都安于英国的统治了。

所以这时候老二德国再想去开拓新的殖民地，发现成本太高了，人家根本不信他这专制体制，都只信人家英国那民主体制。老二不但推行不出他这制度去，还有种恐惧的心理，生怕老大的制度影响到自己国内。当时的德国皇帝威廉二世最怕的事，就是下边人造反，给他弄个君主立宪，他就希望永远自己说了算，那些跟他血脉相连的普鲁士贵族后代、军事贵族后代们说了算。德国这才发现别人不信他的体制、不信他的管理能力，怎么办？忽然想起来一招，说你大英帝国当初不是靠海军起来的吗？那干脆我也靠强大的海军来开路吧！

英国当然不能眼看着德国的军备力量超过自己，于是这哥俩就开始了军备竞赛。到 1913 年，英德之间的海军军备竞赛已经持续二三十年了。战争的迹象还遥遥无期呢，这就是“威慑”的力量吧。我有武力，你也有武力，谁都不愿意去冒险，成本太高，所以没人想打仗。

德国持续造了二十年的战舰，都没追上英国。为什么呢？英国的方法很是简单粗暴，就是你造一艘战列舰，我就造两艘，反正我就要一直保持是你的两倍。1913 年的时候，英国已经有二十几艘战列舰，德国也有了十几艘。

时间长了，这德国就开始有点“被迫害妄想症”了，或者叫“被封锁的危机感”吧。因为当时英国确实开始有结盟其他国家以遏制德国的想法了，跟法国和俄国开始结盟了。德国呢，是一大陆国家，所以老有一种别人要封锁我的危机感。那怎么办呢？干脆也拉俩小兄弟、找人结盟吧。拉谁呢？看谁最需要我，看谁要崩溃了，看谁跟我离得近、能跟我抱起团来。最后还真找着俩，一个奥匈帝国，一个奥斯曼土耳其帝国。这俩国家有一共同点，就是都处在“不战即亡”的危险境地下，都需要德国出钱来帮着扶持一下。像奥匈帝国，他需要德国帮他做什么呢？他要争夺巴尔干地区，但对面有一个叫俄国的大敌虎视眈眈着，所以就找德国来撑腰。现在的巴基斯坦也一样，干吗找中国结盟？还不是因为对面有一个比他强太多的印度。另一个小兄弟奥斯曼土耳其也是，内部统治一塌糊涂，四周强敌环伺，都处于不战即亡的地步了，所以也傍德国的大腿。奥斯曼土耳其对应着今天的谁呢？除了巴基斯坦，谁还与中国结盟呢？你猜，肯定猜得到。说了德国的盟友，我还想说下英国的盟友法国。法国跟英国可是世仇，还打过很多年仗的，像百年战争什么的，可现在为了遏制老二德国，再加上跟德国有普法战争的近仇，就与英国结盟了。法国与英国的结盟，跟如今的日美结盟，不是一样一样的嘛！

总之，当时的世界态势呢，可以归结为：老大是一个正在衰落的民主国家；老二是一个正在急速崛起的集权国家，还找了俩兄弟；老三是一个跟老二有仇的国家，还老想着要报仇，于是就跟老大结盟。这么看起来，跟今天还是很像的呢。

虽然两边都结盟了，但1913年的人们并不觉得战争即将到来，根本想象不到第二年世界大战就打响了。因为人们都觉得两边势均力敌，就跟现在大

乔治五世和尼古拉二世合影

乔治五世（摄于 1923 年）

家都有原子弹似的，总要考虑下开战后所要付出的代价吧，所以双方永远不可能开战。当时的人觉得战争不会来，还有一个原因，就是媒体一直在宣传某种思想，这种思想有很大的麻痹作用。什么思想呢？全球化。经过第二次工业革命，交通、通信技术都有了翻天覆地的进步，你得用我开采的原料，我得用你生产的商品，大家都已经互相依赖互相牵制了，这仗还怎么可能打得起来呢？

这是全世界的第一次全球化，跟今天相比，当时的全球化有一个独一无二的表现——“肉体全球化”。什么叫“肉体全球化”？说通俗点就是通过联姻、通婚，大家都成一家人了。这种“肉体全球化”，主要体现在当时的欧洲贵族圈子里。应该说，1913 年是欧洲贵族社会的最后一年好日子，“一战”开始以后，持续了上千年的贵族社会就被彻底打破了，完全退出了历史舞台。1913 年 5 月，德皇威廉二世的女儿要出嫁，在婚宴上还出现了另外的两位皇帝，就是英王乔治五世和俄国沙皇尼古拉二世。他们干吗也来参加婚礼呢？因为他们之间都是亲戚，互相是表哥表弟的关系。你看看乔治五世和尼古拉二世的照片，会发现这哥俩怎么长得这么像呢。其实就是因为他俩的母亲是亲姐妹。你看，大家都是亲戚关系，这仗怎么打得起来呢？

1913 年，《泰晤士报》还发表过一篇文章，对之后 100 年的世界发展，做了一番预言。他预测的这 100 年，科学进步，人口增长，工农业大发展。他预计，到 2013 年，加拿大会有一亿人，会变成大英帝国的中心；那时候印度有可能独立。现在我们知道了，这 100 年的历史实在让人伤感，那个预言家做梦也不会想到：第二年就爆发了“一战”，由于“一战”埋下的祸根，后来又爆发了“二战”；由于“二战”埋下的祸根，人类又陷入了半个世纪的冷战。显然，关于加拿大的人口也没预测对，加拿大的同志们生得太少了，到现在也只有 2000 万人。至于印度，也早在 1947 年就独立了，而不是像他预想的 2013 年。所以说这 100 年，完全不是他预测的那样子。

关于贵族，我就说一家吧，哪家呢？有一部电影很有名，叫《茜茜公主》，估计很多人都看过。我要说的就是茜茜公主她们家。茜茜公主嫁给了她的表兄，后来成为奥匈帝国皇帝弗朗茨·约瑟夫。这个约瑟夫皇帝的执政时间可是相当长的，到 1913 年他已经在位 65 年了。约瑟夫出身于欧洲历史

伊丽莎白·阿马利亚·欧根妮（茜茜公主）

艺术家绘出的卢伊季·卢切尼刺杀茜茜公主的图

上统治领域最广的王室哈布斯堡王朝。哈布斯堡王朝的家族成员曾出任神圣罗马帝国皇帝、奥地利皇帝、匈牙利国王、波希米亚国王、西班牙国王、葡萄牙国王、墨西哥皇帝和意大利等若干公国的公爵。现代科学研究表明，哈布斯堡家族迅速衰落的重要原因之一，就是因为他们为了保持血统纯正，皇室间流行乱伦和近亲结婚，经常出现叔叔娶侄女、表妹嫁表哥的情况。这直接导致了很多皇室成员患有遗传性疾病，比如哈布斯堡王朝在西班牙的末代国王卡洛斯二世，身体畸形，4岁才会说话，8岁才会走路，绰号“中魔者”，被称作是欧洲历史上最丑的国王，结了两次婚也没能生下孩子。所以说，过度追求血统的纯正和高贵，也不是一件值得骄傲的事。

约瑟夫这一生，身兼了1个皇帝、11个国王、3个大公、17个公爵、1个大亲王、3个边境伯爵、4个宫廷伯爵、2个亲王、4个伯爵、4个领主等等共50个显赫的头衔，比如奥地利皇帝、匈牙利国王、波希米亚国王、伦巴底和威尼斯国王、克罗地亚国王、耶路撒冷国王等等，全是他。因此，茜茜公主嫁给他以后，头衔也就相应变成了一个皇后加上了无数王后。电影里演的这两口子的生活很幸福吧？其实历史真相并不是这样的。茜茜公主跟约瑟夫结婚六年后，约瑟夫去意大利亲征，意大利美女不是多吗？结果这个又帅又花的约瑟夫就在那儿染上了淋病。问题是他回来后，把这病传染给了皇后，又进而传染给了几个孩子。你说这日子还能过吗？所以茜茜公主就几乎跟他绝交了，自己出国去旅行了。

这夫妻俩的孩子命运也不是很好，他们唯一的儿子鲁道夫大公，本来还想着让他继承皇位的，没想到这孩子心理素质不好，他爱上了一位女子，父亲不同意，他居然就跟女朋友殉情自杀了。茜茜公主为此心灰意冷，就再也不回家了，一直在外旅行，而且永远穿着一条黑裙子，拿一个黑纱的扇子，就这样过了后半生，直到被刺杀身死。儿子死了九年之后，茜茜公主居然在日内瓦街头被一个无政府主义者莫名其妙地给杀了。那家伙本来是计划刺杀另外一个皇室成员的，结果那皇室成员临时改变了行程，没有出现。这个疯子气急败坏之下，恰巧在一个码头看到了茜茜公主，心说这也是个大人物，就杀她吧。茜茜公主当时是要上船去旅行，结果被这个疯子一刀刺在了胸口。茜茜公主当时还非常优雅地问了一句："发生了什么？"然后就死在了船上。所以说，嫁入帝王家也不是什么好事。

儿子死了，约瑟夫皇帝还得重新选个继承人。一开始，他看上了他最喜欢的一个弟弟的儿子，叫马克西米连大公，我过去讲拉美史的时候提过他。这个马克西米连大公没事儿闲得跑到墨西哥当皇帝去了，结果人墨西哥革命了，把他给枪毙了。所以约瑟夫皇帝只能重新选，这时候就只剩下他三弟的孩子斐迪南大公了，其实他很不喜欢这个侄子。当然，斐迪南大公也不喜欢这位叔叔。为什么呢？因为这个约瑟夫皇帝越老越顽固，本来已经在自己儿子身上犯了大错了，结果还不吸取教训，在新王储的婚姻上继续强硬插手。斐迪南大公本来是看上堂兄家里的一个女佣，也不能叫女佣吧，反正就类似那种古典片子里演的，那些女主人身边的所谓"高级女仆"。约瑟夫皇帝说，作为我的继承人，你怎么能娶一女仆呢？可是这个斐迪南大公还挺犟，你不让我娶我偏要娶。最后闹得叔侄俩签了一纸合约才算完，约定：这个女佣以及她生的孩子，永远都不能继承哈布斯堡王朝的所有东西；而且也不许在维也纳跟大公一起出席任何重大活动。这就有点像默多克跟邓文迪签的婚前协议，说以后你的孩子不能继承我这，不能继承我那的。斐迪南大公还是深爱

1914 年 7 月 12 日，意大利《周日信使报》所刊登的手绘萨拉热窝事件图

1912 年 4 月 10 日，于南安普敦港出发的泰坦尼克号

这个妻子的，既然在维也纳不能一起露面，那就出国去吧。他们两口子就到了一个很偏远的省份波黑省，之后的事大家都知道了，在波黑省首府萨拉热窝的大街上，两口子就被那个叫普林西普的塞尔维亚人打死了。

关于“一战”前夕的贵族，就先说到这儿，接下来咱们说说欧洲的中产阶级。1913年的时候，欧洲的中产阶级都在干些什么呢？他们的生活是怎样的呢？第二次工业革命的迅猛发展，确实给当时人的生活带来了翻天覆地的改变。得益于交通工具的完善，当时欧洲的中产阶级，已经能够开始环球旅行了。当时的轮船和火车，已经从蒸汽机转用内燃机，改用石油做能源，效率得到极大提升，这就使环游世界成为了可能。当时欧洲的中产阶级，对欧洲的国家和城市，也非常了解，人人都能说出一套，因为他们没事儿就去旅行。那时候环球旅行也不贵，才需要650美元，跟当时中国一位大学教授四个月工资差不多。当时的远洋邮轮上都有什么呢？《泰坦尼克号》大家都看过吧？泰坦尼克号上边什么样，大家全看见了吧？所以我就不多讲了。因为泰坦尼克号就是在前一年，1912年撞上冰山沉没的。当时的邮轮上，每个舱室都装有电话机，还

有暗房，专供环游世界的游客冲洗照片。当时的环球旅行，除了从美国旧金山到纽约这一段还需要坐火车以外，其他路段都可以坐船了，因为那时候苏伊士运河已经开通了。第二年，1914 年，巴拿马运河也开通了，所以连火车也不用坐了，全程坐邮轮。

说完了中产阶级，再说说无产阶级。1913 年可是无产阶级最“英特纳雄耐尔”的时代，“英特纳雄耐尔”就是法语里的 Internationale，就是无产阶级国际化，各国无产阶级都是一家人的意思。那个时候，各国无产阶级在恩格斯创建的第二国际的带领下，正在团结起来战斗呢。第二国际是一个代表各国无产阶级的组织，总部设在布鲁塞尔。当年参加第二国际的政党，就是现在欧洲各国的社会民主党。无产阶级团结得很，都愿意为本阶级战斗，没有人说我是德国无产阶级，你是法国无产阶级，他是英国无产阶级，无产阶级不能打无产阶级，所以他们也不想去为资本家打仗。

大战爆发前的欧洲日常

1913 年的欧洲知识分子们，交流特别频繁，也互相了解对方，所以圈子里流行着一股自由风潮。大家也都没什么国家概念，觉得自己可以住在任何地方，所以在伦敦、巴黎、维也纳、柏林这些地方，集中了全世界最优秀的艺术家、文化人。

比如说伦敦，既是当时全世界的金融首都，又是政治首都，可以说，是伦敦在管理着全世界。首先，全世界最能干的商人、银行家、政治家，全在伦敦。伦敦的威斯特敏斯特宫就是他们的议会，白厅就是他们首相办公的地方。在白厅周围的一条街上，驻满了什么呢，一个词咱们就明白了，叫“驻京办”。那个时候的“驻京办”可比现在的驻京办遥远，当时大英帝国的各殖民地都在伦敦有自己的办公室，跟伦敦一起管理着那些殖民地。我们知道，“驻京办”是分级别的，富一点的，自己单独占一座大楼；穷一点的，在一个胡同里；我还见过六个省挤在一个楼里，叫六省驻京办。在伦敦的这些“驻京办”也是如此，六个白人自治领，加拿大、澳大利亚、新西兰、爱尔兰、加拿大及纽芬兰，他们的办公室都离白厅很近，印度、南非的就远点了。

隐藏在这么多“驻京办”背后的，是民族的大融合，是商品的大融合，全世界各地的商品都到伦敦来交易，全世界各种族的人都到伦敦来定居。当时的伦敦有 700 万人，是世界历史上从未有过的大城市。种族多到什么程度？伦敦的爱尔兰人比爱尔兰首都都柏林都多，苏格兰人比苏格兰最大的城市阿伯丁都多，犹太人比巴勒斯坦还多，就到了这种地步，简直是个种族的大熔炉。这一点很像今天的纽约，纽约只有 21% 的人是纽约“土著”，其他的都是来自于世界各地。记得“9・11”时飞机撞塌俩楼，死了不到三千人，却来自 61 个国家。所以说，当世界老大还要有这个大熔炉般的胸怀，等有一天我们当了世界老大，别整天讲民族沙文主义。

从金融角度来说，怎样才能算世界老大？你得控制着全世界的股市。现在的纽约就是如此，你要上市，得来纳斯达克，得来纽交所，连咱们的阿里巴巴也得去纽约上市，这才叫世界老大，其他的方面再强也没用。1913 年的伦敦就跟今天的纽约一样，因为当时已经有了无线电报，所以伦敦股市完全可以操控全世界每样商品的价格。当时还实行金本位制，硬通货是英镑，通行全世界，跟今天美元的地位一模一样。所以说，做老大，一定要做到这样，您光有枪炮是不行的。再往前倒100年，伦敦股市什么样呢？据说，罗斯柴尔德家族专门派了一个人在滑铁卢守着，拿望远镜看交战双方的态势，眼看拿破仑败了，赶紧快马加鞭，渡过英吉利海峡，赶回伦敦，通知主人赶紧抛售股票，该抛的抛，该买的买。一天以后，战报才到伦敦，说拿破仑战败了，威灵顿公爵率领英国军队胜利了。这时候，伦敦股市才该涨的涨，该跌的跌，可人家罗斯柴尔德家族早已经把该买的买了，把该抛的抛完了。总之，得益于电报的出现，1913年的伦敦操纵着全世界的金融，全世界的银行家、金融家都聚居在伦敦。

1913年的伦敦，一派歌舞升平的景象，全世界首次选美就是这年在伦敦举办的。英国人都觉得不会打仗的，你们用的都是英镑，可钱都在我手里呀，你们怎么敢跟我打呢？就跟今天某些美国人的想法一样，说你们都在用美元，我这里把美元疯狂一印，你拿什么跟我打呀？“一战”以前，全世界都没有人想过，原来没钱的时候，仗还可以接着打，还能跟你拼到底，因为过去打仗，都是钱花完了就不打了。日俄战争，花完钱不打了；日清战争，花完钱不打了。普法战争，也是法国赔了德国50亿法郎，不打了。德国的崛起也跟这笔巨款有很大关系，50亿法郎相当于7亿多两白银，比我们清末最大的两笔赔款，《马关条约》2亿两白银和《辛丑条约》4亿5千万两白银加在一起还要多。

不说伦敦了，咱们换个城市说，说说巴黎吧。虽然普法战争后，法国被德国讹了一大笔钱，国力被德国超过了，但巴黎人的感觉依然很好，心态很

20世纪20年代末，由维多利亚塔俯瞰伦敦

平和，照样歌舞升平着。巴黎不但是当时的世界文化艺术中心，而且还是第一个真正意义上的旅游城市。你想啊，当大家出行还是坐马车的时候，这个世界上能有真正的旅游城市吗？1913年，因为火车、轮船的出现，全世界的艺术家、文化人都跑到巴黎人来了。有从巴黎回来的文人，还专门写了对巴黎的印象，他们说巴黎的男人都不想当兵，女人都不想生孩子。这就从侧面印证了，当时根本没有人想打仗，没有人有尚武精神。你想啊，如果想打仗的话，官方不早就开始用媒体宣传了？大家知道，靠媒体宣传来增强人们

的爱国主义、民族主义精神，尚武的精神，不怕流血牺牲的精神，等等精神吧，是战争之前最重要的准备活动。1913 年，可没有哪个国家在做这个事，可没有人去给大家激发爱国主义，所以说当时根本没有人想打仗。说到这儿，我倒想起来，这跟今天的日本很像。大家可以去日本看看，根本不像咱们宣传的那样，什么军国主义，好像日本人都叫嚣着要打仗似的，好像日本人已经武装起来了，随时准备武装到牙齿，要入侵我们似的，完全没有。

巴黎完全是当时的世界文化艺术之都，在这里居住着数量众多的大师。先说艺术家，罗丹、毕加索、马蒂斯、杜尚、夏加尔。夏加尔是我最热爱的画家之一，虽然他是俄国人，可他就愿意在巴黎待着；毕加索是西班牙人，也在巴黎待得挺好。这些画家就在巴黎潜心创作着他们那些现代派的东西。估计他们都是这么想的，别说我是哪国人，我就是巴黎人。巴黎还住着大批作家，像普鲁斯特，就是在巴黎写完的《追忆似水年华》第一本。还有音乐家、伟大的作曲家斯特拉文斯基，俄国人，在巴黎住得也挺好。

1913 年，在巴黎发生了一件大事，这个事在巴黎造成的影响，可比什么德国是不是要跟我们打仗、我们要跟谁结盟重要得多，这事就跟斯特拉文斯基有关。这一年，斯特拉文斯基最伟大的作品——芭蕾舞剧《春之祭》在巴黎首演。他在里面加入了大量的现代音乐手段，借鉴了很多原始部落的舞蹈形式，这种尝试引发了巨大争议。无论是在演出时的剧院里，还是在第二天的报纸上，所有的人都疯掉了。在剧院里还爆发了大群殴，支持斯特拉文斯基、喜欢现代派音乐的，和那些保守派打起来了。

1913 年，《春之祭》在巴黎首演时，坐在台下的观众里有大量的名人。比如有一位今天我们的土豪们最喜欢的人，Coco Chanel（可可・香奈儿）。

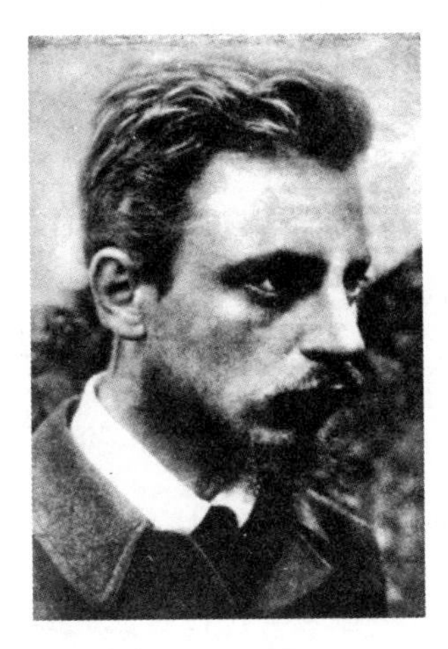

里尔克

莎乐美

1913年的时候，香奈儿小姐还是个做帽子的，在巴黎刚刚开了自己的店。香奈儿专门去看了《春之祭》的演出，并由此与斯特拉文斯基陷入了浪漫的恋爱。

除了香奈儿，观众里还有当时欧洲最伟大的诗人里尔克。里尔克是当时欧洲最勇敢的花花公子，勇敢到什么程度？他每天都干一件事，就是用紫藤色信纸，给全欧洲数十位公主或有名的贵妇写情书，就跟现在的群发短信似的。现在的姑娘们都有辨别力了，群发的内容，一看就能看出来。那时候这些贵妇们可分辨不出来，而且她们都非常崇拜里尔克。里尔克的大半生都处于“被包养”的状态，他说要去哪儿旅行了，这些公主、贵妇都给他凑钱，有的出路费，有的出住酒店的钱。当然了，他也经常住在贵妇的城堡里。在这数十位贵妇里，有一位最令里尔克放心不下，这人身在维也纳，里尔克恨不能每天都给她寄一封信。寄信地址也很特殊，是当时一位著名的人物的家，弗洛伊德家。为什么寄到弗洛伊德家？因为里尔克永远忘不了的那个女人莎乐美，就住在弗洛伊德家。

在当时的欧洲，莎乐美要比香奈儿著名一百倍都不止。估计喜欢文学的人都知道莎乐美，这位著名的美女作家、具有传奇色彩的文艺女青年。莎乐美那可真的叫敢爱敢恨，见一个爱一个，以至于后来在欧洲艺术家圈子里流传了这么一句话，说：每一个敢跟莎乐美谈恋爱的艺术家，最后都被莎乐美搞怀孕了，于是他们才诞生出了伟大的作品。这话太有意思了，合着他们那些伟大的作品都是因为跟莎乐美好而诞生出来的。莎乐美曾经逼疯过尼采，尼采两次向她跪地求婚，她都没同意。有一次，她跟尼采，还有尼采的一个哥们叫保尔·里的，仨人一块去照相。摆了个什么 pose 呢？尼采跟保尔·里拉着一辆小车，莎乐美拿着一把鞭子坐在车上，赶着这哥俩往前走，这不成 SM 了么？

莎乐美本来是一个俄国贵族家的孩子，所以会说俄语、德语、法语。在逼疯了尼采之后，她又跑回俄国去，跟托尔斯泰还有过一腿。后来在一个沙龙上，她又看上了当时还很年轻的诗人里尔克。里尔克可比莎乐美年纪小多了，是欧洲当时最大的花花公子。当然，里尔克诗写得极好，应该算是那个时代最伟大的诗人之一。同一时期的诗人还有得了 1913 年诺贝尔文学奖的泰戈尔。里尔克一天到晚给莎乐美写信，后来就变成精神伴侣了。这个时候托尔斯泰也死了，莎乐美就来到了维也纳。当时维也纳最著名的人物就是弗洛伊德了，因为弗洛伊德那本著名的书《梦的解析》甫一出版，就风靡了全欧洲。所有的贵妇都在弗洛伊德门口排着队，她们想干吗呢？就是想把自己昨

一张著名的照片，从左至右：莎乐美、保尔·里、尼采（1882 年）

弗洛伊德和莎乐美

1905 年，维也纳的史蒂芬大教堂

晚上做的梦说一下，让弗洛伊德给解解梦。也不是白让人家解梦，解一个梦要付 100 克朗，这有点像咱们这边的风水大师的劲儿，像李一什么的。弗洛伊德的精神分析学说虽然是科学，但在当时还争议很大。1913 年，他还跟他的学生荣格，在苏黎士搞了场大辩论。

莎乐美就觉得弗洛伊德太厉害了，他能看出人内心深处的东西来。对一个文艺女青年来说，跟各种人都好过才算厉害。哲学家，尼采，有了；大文学家，托尔斯泰，有了；大诗人，里尔克，也有了。就差一个精神分析学家了，于是她就自己也写关于精神分析的书，跑去住在弗洛伊德家里，对外说他俩是什么心灵伴侣，当然真的假的咱也不知道了。

说到弗洛伊德，就顺便说一下维也纳这座城市。当时欧洲的画家一般集中在四个地方，首先是巴黎，其次就是维也纳，然后是慕尼黑和柏林。当时的维也纳，聚集了大量的画家。跟别的圈子一样，画家圈里也是有富的、有穷的。富的画家，比如有克里姆特。在绘画史上克里姆特也是一位伟大的大师。克里姆特的画很容易识别，就像毕加索、马蒂斯的画一样有自己的独特特征。一看那稀奇古怪的、胳膊腿乱撞的，那多半是毕加索的；一看那颜色特丰富、特夸张的，马蒂斯的；一看那金金闪闪的不知道是什么，中间还有一女的，那肯定是克里姆特的。克里姆特还算那时代混得比较成功的，有大批女的围着他转。克里姆特的画室里，永远有一堆裸女在那儿做着各种姿势，也不知道他在那儿画谁。据说克里姆特去世的时候，有十四个女模特找上门来要求做亲子鉴定，都到了这地步。

有克里姆特这样有钱的画家，也就有穷的。当时有一群画家，曾经聚在一起搞过一次大型画展，可实在是没人买，最后这哥几个只好自个儿出钱互相买，大概才花了两三千块钱，马克、克朗什么的，就把这些画都买光了。这堆画要是放到今天，估计得值两亿多欧元。那时候维也纳还有位更穷的画家，应该说是最穷的一位吧。穷成什么样？他每天睡在一个类似仓库的地方，跟几百个“维漂”挤在大通铺上。每天早上起来，大家都出去找工作，只有他坐在屋里画水彩画，主要是以画教堂为主，一幅画能卖三克朗到六克朗的样子。当时的物价还行，他住的通铺每天只收五毛钱，也就是半克朗能住一晚上。这位画家后来变得实在是太有名了，他的名字叫希特勒。希特勒本来是想考维也纳艺术学院，两次都没考上，只好靠画水彩画为生。

希特勒住的这地方，旁边有一公园，这公园就在哈布斯堡王朝的皇宫美泉宫外边。有一天，希特勒在那公园里“碰见”一哥们儿，留着两撮小胡子，长得也不高，黑头发。这哥们儿是从俄国流亡到维也纳来的，也住在这附近，所以那天他也在这公园出现了。这俩人，估计啊，现在只能估计了，但是据他俩各自日记的记载，他俩应该是遇见了。这哥们儿叫什么呢？叫斯大林。当然了，那会儿还不叫斯大林，斯大林是后来改的名。后来这哥俩就打了一场人类历史上最残酷的陆上战争。历史上斯大林跟希特勒唯一的一次见面，就是在1913年美泉宫旁边的公园里。

维也纳的咖啡馆是当时全世界有名的，因为在那里你能遇见各种各样的种族，听见各种各样的语言。在奥匈帝国境内，光主要语言就有十五种，包括匈牙利语、捷克语、斯洛伐克语、克罗地亚语、斯洛文尼亚语等等，国歌要用十五种语言来唱，军队下命令也要用包含德语在内的十二种语言。各个民族的人坐在维也纳的咖啡馆里，讨论着世界的政治、民族、宗教和文化。

从这个意义上来说，维也纳可以叫作“世界历史的实验室”。

流亡者也都愿意去维也纳，因为在维也纳长啥样的人都有，隐藏在这里不容易被发现。其中就有一位著名的流亡者，他比斯大林稍微好点，在于他当时还有工作，专门给报社写小文章，这个人就是托洛茨基。托洛茨基在回忆录里说第一次见到斯大林就是在维也纳的某个咖啡馆。可能很多人不知道托洛茨基，他也是十月革命中列宁的左膀右臂，他亲自创建了苏联红军，一手打败了白匪军。所以托洛茨基也是苏联革命最重要的领导人之一，本来是排在列宁之后、斯大林之前的。当然了，因为后来斯大林当政了，所以在历史上也看不倒托洛茨基的名字了。

托洛茨基的一生都在流亡。列宁死后，他被斯大林排挤。因为他，苏联大肃反中死了成千上万的人。不光是苏联，连我们当年的苏区也抓过托派分子，杀了成千上万的人。托洛茨基后来被迫流亡到墨西哥去了，在那儿还跟墨西哥女画家 Frida 有了一腿。最后他还是没逃过追杀，在一个戒备森严的的屋子里，他被斯大林派来的刺客拿斧子砍死了。这个刺客是个西班牙人，巧合的是，这个刺客的生日，正好是托洛茨基 1913 年第一次见到斯大林的那天。第一次见面时，托洛茨基根本没把斯大林当回事。斯大林进来倒了杯咖啡，托洛茨基都没理他，因为托洛茨基可是大知识分子，当时的地位极高。当时地位比斯大林高的、流亡在维也纳的，还有布哈林。布哈林也是大知识分子，也是苏共第一代领导人，当然他最后也是被斯大林枪毙了。我觉得斯大林的心态估计有点阴暗，当年你们不是都比我厉害吗？你们不是都能写稿卖钱，就我最惨吗？我来倒咖啡你们都不搭理我。那好，斯大林就故意挑了一个他跟托洛茨基首次见面那天在西班牙出生的婴儿，待他长大了以后，派他去墨西哥把托洛茨基给杀了。

当时的维也纳太有意思了，群集了大量的名人，接着说几个。1913 年，在维也纳斯大林住的楼下，街角的位置，还有一位在戴姆勒公司上班的修车工。这个人长得非常帅，也是靠吃软饭为生。他不像里尔克那样吃公主或莎乐美这样的软饭，他只吃一些中产阶级富家小姐的软饭。基本上就是，人家一怀孕就把人给扔了，孩子生下来也不认，就是这种。这位修车工后来改了个名字，叫铁托，后来成了南斯拉夫的总书记。我经常提到的一位作家，茨威格，1913 年他也住在维也纳。

1913 年的维也纳，艺术气息极为浓厚。大家买来报纸，都是把前面的国际政治什么的先翻过去，直接翻到后边的剧院演出这一版，看剧评，看音乐评论。当时看演出、欣赏音乐是维也纳人的最爱，甚至还为此动手打架。当时著名作曲家勋伯格在维也纳上演了一出现代音乐，居然引发了斗殴。混乱之中，还有人冲上台去，给了勋伯格一大耳光。你看，当时的人能为艺术这事打起来，可见社会环境多么稳定，谁也没想到第二年大家都要上前线去打仗了。

说完维也纳，再说说柏林。经常有人说，“一战”的策源地在柏林，因为“一战”是德国发起的嘛。其实当时的柏林一点战争气息都没有，特别像我们现在的北京，就是一个新兴工业大国的首都而已，要论历史，可比什么伦敦、巴黎、维也纳差远了。很长一段时期里，整个德语地区，我们叫神圣罗马帝国也好，后来叫德意志联邦也好，它的首都是维也纳，而不是柏林。柏林只是普鲁士这个王国的首都，而且这个王国在整个德意志大帝国中还不是最发达的。不要一想到是普鲁士统一了德国，就觉得普鲁士是德国这些邦国里最发达、最繁荣、最有文化的。完全不是这么回事。普鲁士统一了德国，其实有点像秦国统一了天下。秦国可不是中原地区的核心，孟子、孔子、这子那子都不是在秦国产的，秦国的文化与中原差得很远呢，经济连齐跟楚都比不上。秦国强就强在军事上，最后靠商鞅变法，靠这些军事贵族，把全中国都给统一了。普鲁士统一德国也有点这个意思。

普鲁士最开始只是德国东北边陲的一个小邦国，远离德国文化中心，甚至跟斯拉夫人有大量的杂交。普鲁士东边的那点地儿，今天已经不在德国版图里了。“一战”“二战”德国都战败了，领土被不停地割让，慢慢地东普

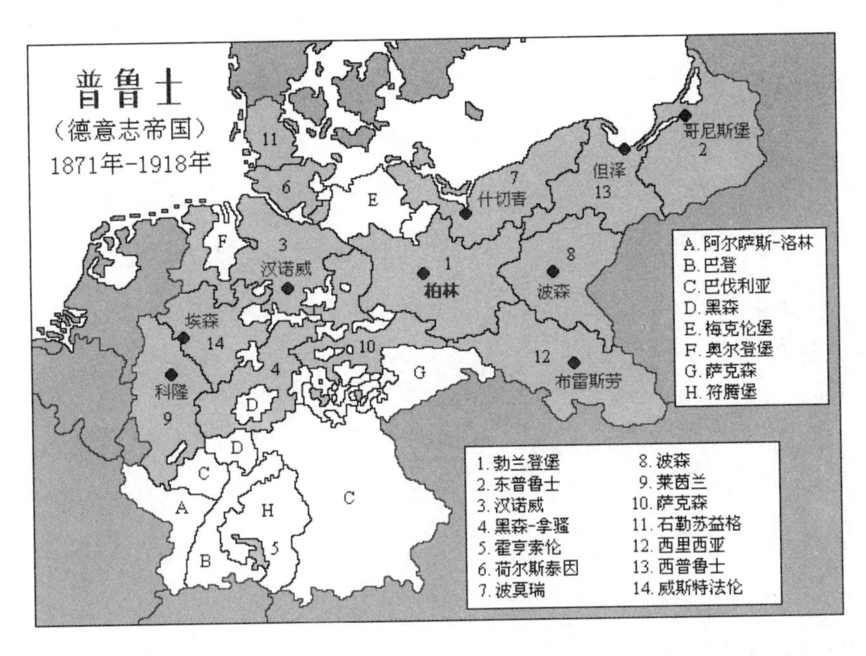

德意志帝国中的普鲁士王国领土（2 和 13）

鲁士就被割没了。从现在的地图来看，普鲁士的范围，包括现在波兰的一部分，还有俄罗斯的那块飞地加里宁格勒，本来是当年东普鲁士的首府柯尼斯堡，现在也改叫加里宁格勒了。威廉二世家的霍亨索伦王朝就是从普鲁士起来的，这个王朝虽然没文化，但是特别能打仗，锻造了一支极为能打的、跟秦军一样能打的军队。一路打，一路打，先是让柏林成了他们的首都，然后跟英国一起打败了拿破仑，跟英国、俄国一起打败了丹麦，最后又打败了奥地利。打败了奥地利之后，维也纳才退出了德国的核心地区，变成了一个边缘地区。因为奥地利里面还有差不多一半以上的斯拉夫人，所以当德国统一的时候，就把奥地利排除在外了，说我们只统一日耳曼民族的德国。至于奥地利，在约瑟夫皇帝时期，实在是弄不住这么大帝国了，匈牙利就跟奥地利平起平坐了，成了一个二元帝国，即奥匈帝国。后来还差点变成三元帝国，因为斯拉夫人也想单弄一元，还没弄成，“一战”就爆发了。

所以说柏林成为德国的中心，时间还很短，就像北京成为我们的政治中心，时间也不长。很长的历史时期内，我们的政治中心是长安、洛阳，后来又到了南京、杭州，最后才到的北京。柏林很像今天的北京，喧嚣，膨胀，是一个充满了野心和欲望的中心。维也纳人还不服，为了挤兑柏林还说过一句话：“在这个世界上，伦敦只有一个，维也纳只有一个，贼窝也只有一个。”这“贼窝”说的就是柏林。那时的柏林不但不是战争策源地，连后来纳粹上台导致的排犹等问题都没有。当时犹太复国总部就在柏林，犹太人在柏林并没有被歧视，在维也纳也没有被歧视。茨威格就是犹太人，从他当时写的文章上看，在维也纳犹太人没有任何被歧视的感觉。当时维也纳最重要的130多个报纸编辑里，有120多个是犹太人。所以说1913年的欧洲，不但各个阶级没有分裂，不但没有战争的倾向，而且连排犹问题也没有。

柏林，这个新兴老二的首都还有一点跟北京特别像，就是能抢先用到很多先进的东西。当时的柏林，人人都有电话。在 1895 年的时候，柏林的人均电话拥有量就已经是英国的八倍了；到 1913 年的时候，德国的电话数量还是比英国多两倍。为什么反倒是在这些新兴的国家，新产品普及得比较快呢？因为像英国这种老牌帝国主义国家，有一种惯性，原来有的东西他不愿意换，用新的还得适应一段时间。这也是“一战”前德国实力超过英国的原因之一。当时的德国铁路之发达，恨不能是欧洲其他国家的总和，就像今天中国的高铁，恨不能是全世界其他国家的总和。到现在了，老大，美国连一英里的高铁还没建起来呢，他还在规划第一条高铁呢，中国就已经建起这么多条来了。说了这么多，其实当时的柏林跟现在的北京有一点不太像。当时的记载说，世界各国人去柏林旅游，都说柏林的水质好。当然，也没有地沟油，德国人可不干这事儿。水质这点跟北京不一样，北京的水质，我就不说什么了。

开头我讲过了，当时的世界老二德国是一个集权国家。德国虽然也有议会，但议会只是个橡皮图章，一点用没有。所有的权力都集中在皇帝以及普鲁士军事贵族手里，皇帝说什么大家都举手，凡事盖一个橡皮图章，就算通过了。军事贵族又叫容克贵族，就是我爷爷、我爸我妈打下的这个天下，我的父辈缔造了这个德意志帝国，所以我们这些人就是军事贵族。我们可以理解为“军二代”或者“红二代”吧，是他们在管着这国家。柏林到处充斥着这些人，这些人出门都要警察清道的。我们都知道德国有一个大姓，我们翻译过来姓“冯”，这冯那冯的，就是一个典型的普鲁士军事贵族姓氏。

德国的大部分地方都比新兴的柏林有文化，像慕尼黑，像科隆，这都是德国过去非常有文化的地方。柏林的城市外观特别像北京，建筑宏大，街道宽阔。有钱嘛，我要建世界最高的楼，我要建世界最宽的街，我要建世界最大的广场……一副暴发户的感觉。所以欧洲人到柏林看两天就腻了，说，还是没底蕴，没质感，没那么深厚的文化，跟巴黎、维也纳、伦敦比起来差远了；美国人来了，可能会觉得眼熟，这不就是我们的纽约、芝加哥嘛！

德国是一个高压下的国家，这些官二代们什么事都管得事无巨细，新闻出版也管，人民的生活习惯也管，恨不得什么事都管起来。即便在这种情况下，柏林的夜生活也是当时世界上最厉害的、最丰富的。这点又像咱们现在的北京，你看虽然什么事都管，但是我们的工体旁边的夜店，照样天天开张，歌舞升平。柏林云集了当时世界上最多的妓女，因为暴发户多，有钱人多，甚至同性恋也是世界最多，柏林是同性恋最大的聚居地。总之，柏林是一个混乱的、充满了欲望的城市。

那些参战国的配角们

说了半天，还没说俄国呢。1913 年的俄国更不觉得要打仗了，连拿破仑都被我打败了，谁敢打我呢？其实俄国是一个大而无当的国家，虽然国土很大，但谁都不把他当主角看，他在 1913 年扮演的角色，跟今天特别像。前边

1897 年美国田纳西州百年博览会已开始使用电灯

我不是讲了吗，老大、老二都在拉拢旁边的兄弟，俄国也是拉拢对象之一，一会儿德国拉拢他，一会儿英国拉拢他。俄国在历史上只当过两次主角，拿破仑时代一次，那时他还是反法同盟的盟主呢，没想到昙花一现，迅速变成配角了；“二战”之后的冷战又是一次，苏联是作为大主角出现的，当然现在他又被边缘化了。所以 1913 年的俄国很像今天的俄罗斯，就是刚刚当过主角，却很快被边缘化了，又被其他国家超过去了，变成了一个经济上排不上名次但政治上还有点发言权的国家。

当时的世界跟今天的世界有一个很大的不同，就在于美国。今天的世界上，可再也没当时的美国那样的一个角色了。美国当时在世界上扮演一个什么角色呢？据今天的推算，美国的 GDP 实际上在 1898 年就已经是全球第一了，但还不是老大。因为我说过，当老大需要很多条件，不是你 GDP 世界第一就行了。其实在 1895 年的时候，美国的钢产量、煤产量，尤其是石油产量，就已经是世界第一了，当时的加州是全世界产石油最多的地方。虽然经济实力很强，但当时美国在世界上不扮演任何角色，这个很有意思。1914 年，世界大战刚爆发的那个月，纷繁的外交斗争中，这个联络那个，那个联络这个的，都没有人想起美国来，没人去找美国联络。当然，美国自己也没打算参与，美国当时给人的感觉，就像个在旁边偷偷发了点财，生怕别人注意到自己的农民，连地主都不能算。因此大家在这边结盟，三国同盟也好，三国协约也好，都没人找美国。

美国除了经济发达，其他地方都还不发达。1913 年的时候，美国海军才刚刚超过智利海军，跟英、德海军比起来还差得很远，实力也就跟日本海军差不多吧。日本在当时也是一个游离在世界主流之外的国家，你说他不发达吧，他也算是个工业国，你说他发达吧，他又跟美国一样。全世界都要干起来的时候，愣是没有人想起这俩国家来。日本好歹还被英国想起来过，还弄个英日同盟，意图抵制一下俄国在中国的影响，抵制一下德国在中国以及太平洋上的影响。“一战”爆发之后，英国才告诉日本说，你快上青岛、快上密克罗尼西亚，打德国人去。日本也就能干点这种事，也就能发挥这么点作用。

美国则不发挥任何作用，美国不但海军不强，陆军也不行，基本上就是一个半民兵的状态。后来到 1917 年，美国终于参战了，可大家也没把他当回事，真正改变“一战”进程的战役，他都没参与。美国军队到了欧洲，都不让上前线，因为大家都觉得，你美国人还能打仗？你会打什么仗？登陆欧洲的美军大量是民兵，因为当时美国没有常备军。内战以后，南北方军队都解散了，大家都拼命建设国家去了，就没留下什么常备军。现在要参战了，才把各州的民兵临时征调过来，像后来成为总统的杜鲁门，也是在家乡花钱征募了一个连，才跑到“一战”战场上去的。英法都要求把美军以团为单位拆开了，再编进英法的师里，因为他们不相信美国人能打仗，觉得美国人当苦力也就比中国人稍强一点。中国参加“一战”，是派了几十万劳工过去，专门挖战壕。美国兵待遇好点，虽不让挖战壕，但也不让独立打仗，专门补充伤兵就行了。后来在潘兴上将的坚持下，在战争末期，美国军队才参与了一些与德国人面对面的交战。

1913 年美国发生了一些什么事，给大家说说。今天美国能当老大，最重要的一个机构就是美联储，全世界都用美金嘛，发行美元的，就是这美联储。1913 年，美联储才刚刚成立，而且最大的股东罗斯切尔德家族还是英国的。“一战”以后，美元才开始逐渐代替英镑。1913 年底，好莱坞才生产出来第一部 Feature Movie，就是跟今天时长一样的真正意义上的电影。之前的都不叫电影，按今天的标准看，之前的都是些短片，让大家看了哈哈一笑就过去了的小片子。卓别林也是 1913 年才刚获得第一份演员合同，才开始当演员。对美国流行音乐具有开创性意义的大师路易斯·阿姆斯特朗，其命运也是在这一年开始转折的。1913 年的最后一天，在新奥尔良，也就是美国爵士乐的诞生地，有一个小孩过于高兴，因为要过新年了嘛，就冲天放了两枪，结果就被警察给抓起来了，被送进了儿童教养院。在教养院里，这小孩特别躁，说什么都不听，最后就让一个教员教他吹喇叭。没想到这小孩慢慢地吹出味道来了，这个小孩就是路易斯·阿姆斯特朗。今天新奥尔良的机场名字就叫路易斯·阿姆斯特朗机场。

1913年，第一届Armory Show（兵工厂秀，即国际现代艺术博览会）在纽约现代艺术中心（MoMA）举行。后来Armory Show就变成世界现代艺术的标志性东西了。当然，现在也不行了，现在整个现代艺术已经沦落到我都

路易斯·阿姆斯特朗

不想评价的地步了，太没意思。那个时代的美国土到什么程度？不要说成为世界老大，老二，还是老几，就是成为世界舞台上的一员都不够格。1913 年在纽约办 Armory 大展的时候，美国人民才第一次知道，原来还可以这么画画，还可以像毕加索这样画胳膊腿，还可以像马蒂斯那样用色彩……美国人都不知道世界绘画已经进展到这地步了。所以第一届兵工厂秀在纽约产生了巨大反响，所有的媒体都疯了，纷纷报导。后来这个艺术展到芝加哥的时候，芝加哥艺术学院的学生一开始都不能接受这种艺术风格，还纷纷上街去抗议。他们觉得这完全是离经叛道啊，却不知道这些在欧洲都已经成为主流了。

1913 年纽约才刚刚超过伦敦，成为世界第一大港，并建成了世界上最大的火车站——纽约中央车站。那个时候纽约刚刚粗具雏形，还没有伦敦发达，没有巴黎有文化，也没有维也纳优雅，更没有柏林那种打了鸡血一样奋发向上的感觉。当初英国超过西班牙的时候，也经历过这个阶段，英国也是先在经济上超过了西班牙，但在军事上、文化上还远不如西班牙。英国花了很多年才慢慢赶上并超过西班牙，成为了“日不落帝国”。“一战”之后，全世界的黄金都从伦敦的地下转到了纽约的地下。那些富足的国家全都完了，德国欠一屁股马克，法国欠一屁股法郎，英国欠一屁股英镑，而美国却成了最大的债主。即便有这么大的优势，美国也差不多用了三十年的时间，才从文化、军事等各方面上追上来。如果没有“一战”这剂强心针的刺激，估计美国成为世界老大的时间需要半个世纪。所以奉劝大家一句，不要再说“再过五年我们的 GDP 就能超过美国”这样的话了，因为从 GDP 变成了世界第一到变成世界老大，还有相当漫长的路要走。那时候的美国人也没什么远大的追求，他们发了财最想干的事是什么呢？居然是跑到欧洲来娶个媳妇，娶个有 Title 的媳妇。他们之所以有这个追求，估计是觉得自己太没身份，太土吧。到欧洲来，就像朝圣一样。如果能娶一个已经没落的女伯爵什么的，美国人就觉得自己幸福极了。

“一战”还有一个重要的参与者，就是奥斯曼土耳其。无论是过去的奥斯曼土耳其，还是现在的土耳其，他都不认为自己是个亚洲国家，而把自己归为欧洲国家。欧洲人觉得巴尔干就是土耳其，因为整个巴尔干半岛，包括希腊，被奥斯曼土耳其统治了长达六七百年的时间呢。在“一战”爆发以前，奥斯曼土耳其早已像中国一样衰落了，当时中国叫“东亚病夫”，奥斯曼土耳其就叫“欧洲病夫”。中国的疆域在康乾盛世时有 1300 多万平方公里，后来你割一刀我割一刀的，现在只有 960 万平方公里了，损失了四分之一。奥斯曼土耳其也差不多，鼎盛时期的疆域也有将近 1300 万平方公里，向东一直到波斯湾，向西北一直到波兰，向西南一直到埃及、阿尔及利亚、摩洛哥，地中海都快成他家的内湖了。

这么大一个帝国，就因为在工业革命时期掉队了，你看看“一战”之后被打成了什么样？打到最后只剩了 78 万平方公里的国土。你想想，我们从 1300 万平方公里到 960 万平方公里，都已经痛苦成那样了，土耳其从 1300 万平方公里被打成 78 万平方公里那么一点，他得痛苦成啥样？ 1913 年的奥斯曼土耳其，其面积还有奥匈帝国、法国、德国加起那么大，还不小呢，可他却已经弱到什么程度？从他那儿独立出来的罗马尼亚、保加利亚、希腊这些国家，在 1912 年到 1913 年，还组织起来痛打了他一回。他那个时候还能活着，完全不是因为他自己还有抵抗能力，而是沾光于大国之间的博弈，没人想让他被灭掉，便宜了别人。

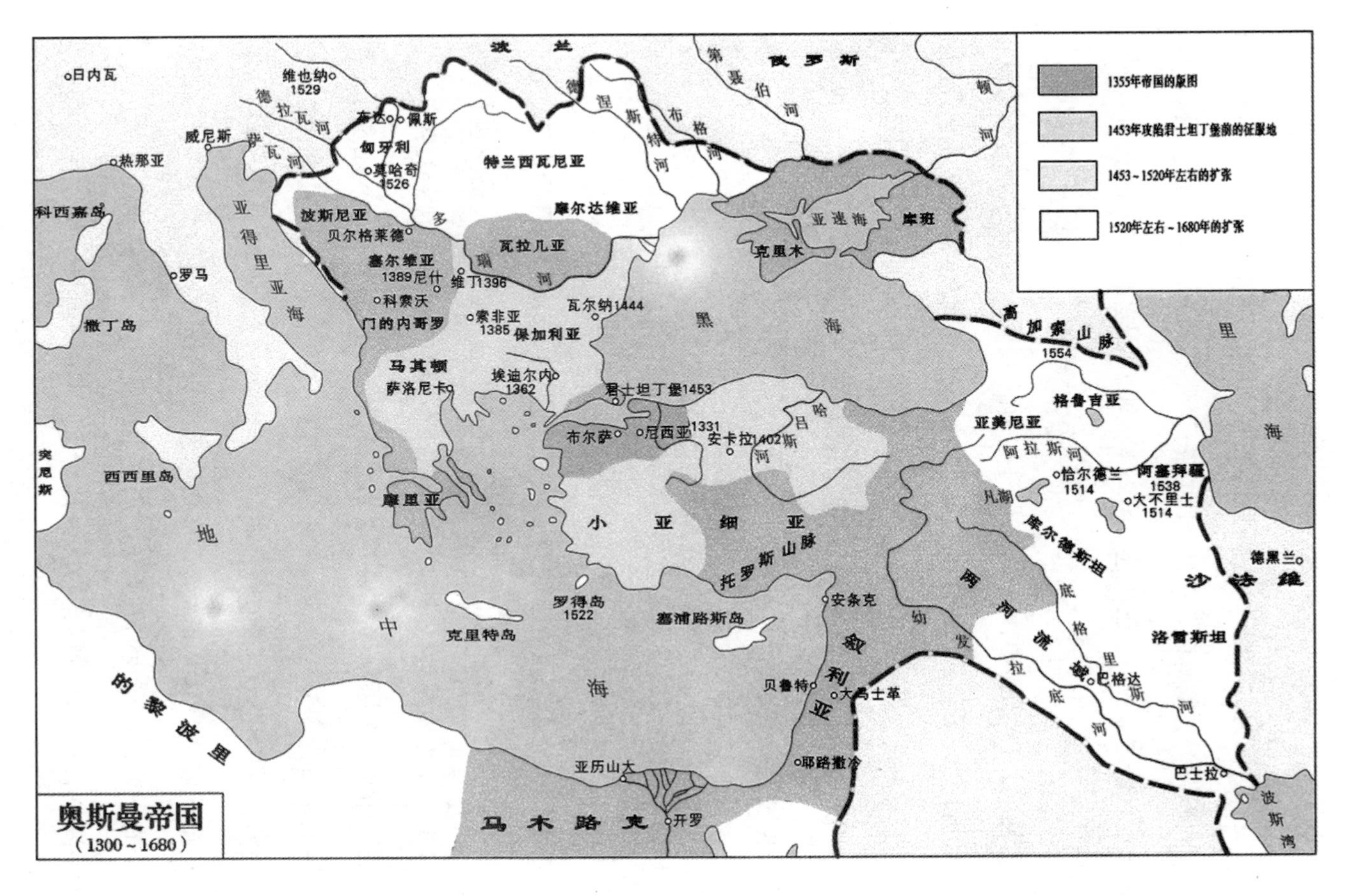

鼎盛时期的奥斯曼帝国，领土地跨亚非欧三大洲

再说说咱们的邻居日本。1913 年，日本作为亚洲唯一的近代化工业国家，正处在非常好的阶段。经过了明治维新，先打败了清帝国，又打败了俄国，正是踌躇满志的时候，正处在跟白人争平等地位的奋斗阶段。日本已经跨过了近代化这第一步，正在进行第二步，即争取与白人平等地位。1913 年，美国加州通过了一个法律，不允许日本移民在加州拥有土地。日本当时正忙活这事呢，正忙着跟美国抗议呢。当时加州正在排华，具体执行过程中就把日本人也圈进去了。日本媒体都骂，美国你这个混蛋，你们怎么能把我们和中国人、蒙古人混在一起呢？我们明显不是同一种人啊！区别多明显啊，你们看不出来吗？你看我们既能造自己的战略舰，还能造自己的海军，我们还打败了俄国那么大的国家，你们居然还那么歧视我们？ 1913 年日本正忙这事呢，忙着与中国撇开关系。

1913 年的中国正在干什么事呢？ 1913 年也就是民国二年，应该说这年的中国也在起步，也在向着一个看起来能变得更好的国家前进。这一年，我们刚刚经历完中国历史上的第一次国会选举。这次可是真的竞选，选举出了第一届国会，第一届正式的政府，还有大总统袁世凯。虽然也经历了一些波折，比如说宋教仁被刺杀了，但这个政府最终还是成立起来了。之后，美国带头，各国陆续承认了这个北洋政府。1913 年初，也出现了一些不和谐的声音，宋教仁被刺，南方四省都督二次革命，但很快被镇压下去了。当然，从国民党的角度看，叫革命失败吧。大家都跑到日本去了，孙中山在日本建立了中华革命党，宣扬个人效忠。在国民党党史里，这肯定是重要的一笔，但在我们五千年的历史上，这只能算是小小的插曲。大家一定不要只看党史，觉得党的历史就是我们国家的历史。从国民党党史角度讲，当然叫革命失败了，但是从国家的角度讲叫，应该叫北洋政府统一了中国。北洋时代并不像教科书里写的那样死板，还有很多有意思的故事，以后咱们再专门讲讲。

最后再说说1913年的科学，1913年的科学进步可称得上是伟大。之前我反复强调过，第二次工业革命实际上是科技革命，到这次工业革命，才真正把科学加进来了，所以才远远超过了以技术为主导的第一次工业革命。数量众多的科学家都在1913年大放异彩，我随便举几个人。居里夫人，凡是上过中学的，都对她如雷贯耳；爱因斯坦，在1913年发表了他的

“齐柏林伯爵”号飞艇，1900年由德国斐迪南·冯·齐柏林伯爵设计制造

广义相对论；波尔，也是在这一年提出了他的“玻尔理论”；还有量子力学的奠基人普朗克，当时他是在德国；还有空气动力学跟流体力学的奠基人普朗特，这人也叫普朗特，也是在德国；当时德国的哥廷根是全世界的学术中心。

当时的科学家大多是在欧洲，美国只是有一些发明家。1913 年的美国有一样发明，对推动世界的“前进”起了至关重要的作用。这就是福特有了自己的第一条汽车生产线。过去的汽车生产，是分小组，一个小组对应一辆车，这哥四个负责这辆车，那哥五个负责那辆车，效率有限。福特汽车生产线的出现，使得汽车成本大为下降，效率也有了显著提高。福特 T 型车一年就生产了 20 多万辆，而且每辆才卖 260 美元，也就相当于当时中国的三四百块大洋吧，那时候北大教授一个月的工资就可以买辆汽车了。美国科学的崛起是在德国纳粹上台以后。因为纳粹党排犹，把大批的犹太科学家都给逼到美国去了，使得美国突然间成了全世界的科学中心，美国开始有了大批的诺贝尔奖得主。

1913 年的欧洲，虽然飞机已经有九年历史，但毕竟还没法载很多人，所以很流行飞艇旅游。比如人们可以乘坐豪华的齐柏林飞艇，跨过英吉利海峡到英国去旅游。你看陆海空的交通都这么方便，各国的联系这么紧密，谁会觉得要打仗了呢？没有人想到要打仗。1913 年还有件事，海牙国际法庭在荷兰的和平宫建成了，有了国际法，各国都在《海牙国际公约》签了名，大家能不松一口气吗？心里想着，今后总算不用打仗了，有争端咱们就上国际法庭仲裁去呗。

1913 年还可以用一句话来形容——这一年，人类终于驯服了空间跟时间。因为在这一年，人类终于到达了地球的每一个点，人类到达了南极，到达了北极，人类终于画出了第一幅真正完整的世界地图。这一年还有人做出了一个壮举，一位叫罗兰·加罗斯的法国飞行员，驾驶着飞机飞跃了地中海。人类有了铁路，有了蒸汽船，有了飞机，可以说是征服了空间。

讲完了科学家，本章也就讲得差不多了。总之，在我的印象中，1913 年是 20 世纪最美好的一年，那时的人充满了美好的梦想和憧憬，各国都走在昂扬向上的路上。

问答

Q1：您觉得茜茜公主跟莎乐美这俩美女，哪个更美？

A1：我作为一个自由知识分子，一贯反对贵族，所以当然觉得莎乐美更美。莎乐美是俄国大美女，俄国大美女一出来就能横扫世界。奥斯曼土耳其自从娶了俄国美女做皇后，整个帝国就都败了；欧洲文化人自从跟了莎乐美，整个欧洲文化都发展起来了。至于茜茜公主，电影里的茜茜公主倒是很美，实际上她真人没有那么美。

Q2：高老师，您是爱喝咸豆花，还是甜豆花？

A2：在食物的甜咸上，南方人跟北方人是倒过来的。南方人吃甜的时候，北方人往往吃咸，就比如这豆花。南方人都吃甜豆花，北方人看了会说，豆花里还能放糖？我可受不了，我一定得吃咸豆花。反过来，南方人吃咸的时候，北方人都爱吃甜。比如南方人爱吃肉粽子，北方人一看说，粽子里怎么还有大肥肉呢？受不了！北方人吃得就特别土，里边放一颗红枣，北方人觉得这才叫粽子。至于说我的喜好，我是什么好吃吃什么，豆花我吃咸的，粽子我也吃咸的，觉得这好吃。